名人家风丛书

国学之花次第开

——钱基博与钱氏家风

名人家风丛书

国学之花次第开

——钱基博与钱氏家风

高涛 著

中原出版传媒集团
中原传媒股份公司
大象出版社
·郑州·

图书在版编目(CIP)数据

国学之花次第开：钱基博与钱氏家风／高涛著.— 郑州：大象出版社，2016. 12（2018. 10 重印）
（名人家风丛书）
ISBN 978-7-5347-9027-0

Ⅰ. ①国… Ⅱ. ①高… Ⅲ. ①家庭道德—中国 ②钱基博(1887~1957)—家族—史料 Ⅳ. ①B823. 1 ②K820. 9

中国版本图书馆 CIP 数据核字(2016)第 232515 号

名人家风丛书

GUOXUE ZHIHUA CIDIKAI

国学之花次第开

——钱基博与钱氏家风

高 涛 著

出 版 人 王刘纯
总 策 划 郑强胜
责任编辑 刘丹博
责任校对 安德华
书籍设计 王 敏

出版发行 大象出版社(郑州市开元路 16 号 邮政编码 450044)
发行科 0371-63863551 总编室 0371-65597936
网 址 www.daxiang.cn
印 刷 北京汇林印务有限公司
经 销 各地新华书店经销
开 本 890mm×1240mm 1/32
印 张 7.75
字 数 173 千字
版 次 2016 年 12 月第 1 版 2018 年 10 月第 7 次印刷
定 价 19.00 元

印厂地址 北京市大兴区黄村镇南六环磁各庄立交桥南 200 米(中轴路东侧)
邮政编码 102600 电话 010-61264834

总 序

一个人有一个人的气质，一个国家有一个国家的性格。一个家庭在长期的延续过程中，也会形成自己独特的风气。这样一种看不见的风尚习惯、摸不着的精神风貌，以一种隐性的形态存在于特定家庭的日常生活之中，家庭成员的一举手、一投足，无不体现出这样一种习性。这就是家风。

“家风”一词，最早见于西晋著名文学家潘岳的诗中。与潘岳有“双璧”之称的夏侯湛，自恃文才超群，将《诗经》中有目无文的六篇“笙诗”补缀成篇。潘岳为与友人唱和，写作了《家风诗》。在这首诗中，作者通过歌颂祖德、称美自己的家族传统以自勉。

“家风”又称“门风”，这个词语在西晋出现并在随后流行，显然和“士族”“世族”“势族”“大族”“世家大族”成为社会上的统治力量有关。无论是以宗族为根基、以武力为特质的地方豪族，还是以官宦为标志、以文化为表征的名家大姓，他们政治上累世贵显，经济上广占土地，文化上世传家学，垄断了全社会的主要资源。除通过九品中正制和婚姻关系来维护门阀制度之外，他们还自矜门户、标树家风，用以抵御皇权和寒人的侵渔。正因为如此，两晋以后，这个词语渐次流行。从发轫之初，“家风”就往往和“门风”互用。我们可以将它理解为家庭的风气，将它看作一个家庭的传统、一个家庭的文化。

传统作为人类代代相传的行事方式，是从过去延传到现在的事物。没有经过较长时间的过滤和沉淀，就形成不了传统。在《论传统》的作者希尔斯看来，至少要持续三代人，才能成为传统。尽管世代本身的长短不一，但无论是信仰还是行动范式要成为传统，至少需要三代人的两次延传。家风作为特定家庭的传统，是该家庭长时期历史汰选、传统沉淀的结果，是一辈又一辈先人生活的结晶。在历史文献中，“家风”或与“世德”共举，或与“世业”并称，足见家风有别于时尚，而与“世”即很多年代、好几辈子紧密关联。在时间上持续的短暂性是时尚的特征，而家风则是历经延传并持久存在，或者在子孙后代身上一再出现的东西。正是在这个意义上，历史文献中提及“家风”一词，往往蕴含对传统的继承。如比比皆是的“不坠家风”“世守家风”“克绍家风”“世其家风”及“家风克嗣”等，无不体现了这一特点。

有一种观点认为，家风必须是健康的、积极向上的，否则，不能称之为家风。实际上，这只是说者的一种期许、一种渴盼，家风本身并不蕴含这样的意味。否则，“良好家风”就是毫无意义的同义反复。正如“文化”是使民族之间表现出差异性的东西，时时表现着一个民族的自我和特色一样，家风作为家庭的文化和传统，表现的也是一个家庭的气质和风习，反映出一个家庭与其他家庭的不同之处。它完全是一个中性的概念，并不必然具有正面的意义。有的家风可能是勤奋俭朴、为人忠厚、待人有礼，也有的家风可能是狡诈刻薄、游荡为非、跋扈凶横。如同一所学校、一个班级的风习我们称之为学风、班风，而学风有好坏之分，班风有高下之别，并不总是值得弘扬一样，家风同样也有不良的，并不都是传家宝。正因为如此，对家风或门风则就既有称誉，也有贬损。即便是在传统社会，被视为传家久、继世长的，也只有耕读、忠厚、清廉这样一些美好的品质。

的确，家风的特征在前现代、在乡村社会、在大家庭中表现得十分鲜明，格外生动，而在现代城市家庭中却不那么明显。但是，只要一个组织存在，就会有这个组织的文化，特别是这个组织如果有历史的厚重，有传统的积淀，就更是如此。作为家庭的文化，家风是附丽于家庭而存在的，只要有家庭，就会有家风。家风并不必然会因为农村的城市化、大家族被小家庭所取代而丧失，或者说，随着历史的演进，社会情势的变化，家风的具体内容肯定会有变化，但家风仍然会存在。我们可以这样认为，没有家风，本质上也是一种家风。在社会结构和家庭结构都发生了革命性变革的当今社会，人们感叹“家风”的荡然无存，其实是指家庭所秉持的“只耕田，只读书，自然富贵；不欠债，不健讼，何等安宁”这样一些古典原则的式微，是指“耕读两途，读可荣身耕可富；勤俭二字，勤能创业俭能盈”这样一些传统内容的沦落，是“志欲光前，惟是诗书教子；心存裕后，莫如勤俭传家”这样一些旧时理念的散淡，而不是家风本身的消逝。

此外，家风不同于家规。虽然这两个词都与家庭教育相关，但它们有着本质的差异。

家规是家庭或家族中的规矩，是家人所必须遵守的规范或法度，是父祖长辈为后代子孙所制定的立身处世、居家治生的原则和教条。它是借助尊长的权威，加之于子孙族众的又一重道德约束，有的甚至具有法律效力。它有家训、家诫、家仪、家教、家法、家约、家矩、家则、家政、家制等名义，有敬祖宗、睦宗族、教子孙、慎婚嫁、务本业、励勤奋、尚节俭等多方面的内容，是行于口头、针对性强的具体教诫，是见诸家书、目的明确的谆谆训诲，是载诸家谱、可供讽诵的文本规条。家规可以有多种分类，如：根据其表现形式，可以分为教诫活动的家规和文献形式的家规两种；根据内容，则可以分为针对一人一事、起因明确、内容具体、结果显豁的非规范性家规和针对整个人生、涉及方方面面的规范性家规。有的家规，着重家庭子弟的道德修养，教授为人处世要法；有的家规，集中居家治生，以至是祠堂、义庄、学塾等的管理规条。但无论如何，相对于家风，家规一个总的特点是有形的，是可视可见的。

一个家庭的家风有别于这个家庭世代相传的道德准则和处世方法，它是一个家庭的性格特征。虽然它一旦形成，也就成为教化的资源，对家族子弟具有熏染影响、沾溉浸濡的意义，但家风是一种不必刻意教诫或传授，仅仅通过耳濡目染就能获得的精神气质，具有“润物细无声”的作用。历史文献中的“渐渍家风”，就极为生动形象地诠释了这一过程。通俗地说，我们可以把家规看作教化家人的教科书，而家风则是经由长期教化后的结果。

马年春节期间，中央电视台的“家风”系列报道，引起了社会的热烈反响和高度认同。这一报道对于引导人们自觉省思，培植良好的家风，构建和谐的家庭关系，夯实家庭这一社会的堡垒，进而培养全社会的良风美俗，疗治现今社会的乱象，无疑具有积极的意义。正是基于这样一种用心，寻根杂志社主编郑强胜代表大象出版社，约请我主编这套“名人家风丛书”。

由于时间关系，第一辑的十本书都是我的学生编写的，他们有的已经博士毕业，有的还硕士在读，水平不一。尽管我们高度重视这一工作，多次在中心的例会上讨论编写事宜，但由于时间仓促，特别是水平所限，其中肯定会有这样或那样的问题。希望读者诚挚地帮助我们，不吝指教，以便我们把后面的工作做得更好。

北京师范大学国学经典教育研究中心 徐梓

2015年1月

目录

第一章

钱氏的谱系

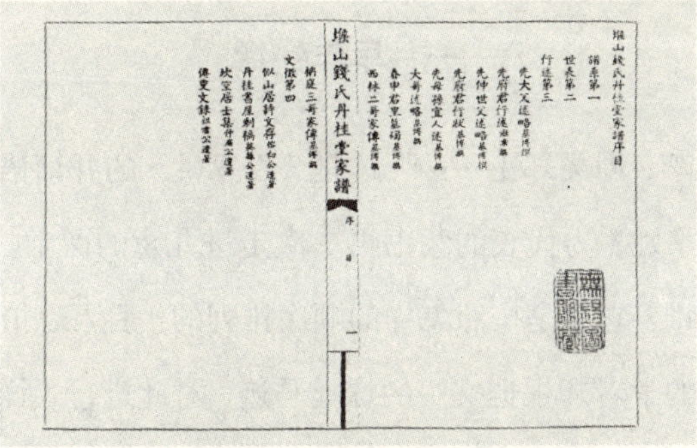

堠山錢氏丹桂堂家譜序目

譜系第一

世表第二

行述第三

先大父述略

先府君行述

先仲世父述略

先府君行狀

先母孫宜人述

大哥述略

春申君里籍碣

西林二哥家傳

納庭三哥家傳

文徵第四

似山居詩文存

丹桂書屋剩稿

欣宜居士集

偉叟文錄

堠山錢氏丹桂堂家譜　序目　一

《堠山钱氏丹桂堂家谱序目》

第一节　吴越武肃王钱镠

一、早年钱镠

“赵钱孙李，周吴郑王……”这是《百家姓》的开篇语。随着国学的复兴，以《百家姓》为代表的蒙书再一次走进儿童的课堂。可是，《百家姓》的作者是谁？它又是按照怎样的顺序排列的？后人恐怕越来越难以知晓了。然而有的学者却根据文中的蛛丝马迹，对此进行了详细的考证。他们认为《百家姓》乃“宋初钱塘老儒”所作。何出此言呢？从《百家姓》的前四姓“赵钱孙李”就可以看出端倪。“赵”乃宋代皇帝之姓，故居其首；“钱”乃吴越国国王之姓，也是钱塘地区的最大姓，故居其次。本书主人公钱基博的家族正源于此，而且钱氏家族所共同追认的始祖也正是吴越国的开国之主钱镠（liú）。

唐朝末年是一个藩镇割据、英雄辈出的年代。唐宣宗大中六年

（852），钱镠诞生在杭州临安一个寒微的农家。在历史上，但凡有大人物出世，都会有一些异象发生，钱镠的出生也不例外。据《十国春秋·武肃王世家》记载，钱镠出生时，红光满室，且伴有兵马之声，因此人们说钱镠是火神祝融赐给钱家的子孙。

钱镠七岁（注：本书年龄均用虚岁）时开始诵读诗书。但相对于读书，钱镠更喜欢习武，《新五代史·吴越世家第七》就称他擅长射箭、舞槊（shuò），又稍通图谶（chèn）和纬书。幼年的钱镠极为顽皮，但这时他的将兵才能已经初具。临安城里有一棵大树，钱镠经常和一群孩子嬉戏于树下，久而久之，钱镠就成了这帮孩子们的头儿。倘若你生活在那个时代，你就会看见他坐在一块大石头上，不断地对这支孩子队伍发号施令。号令威严，且相当有章法，孩子们既怕他，又服他。十六岁时，钱镠放弃了学业，当起了盐贩子。要知道贩卖私盐是官府严令禁止的，但是钱镠却凭着惊人的胆量和强健的体魄干起了这个一本万利的营生。这为他日后的发展积累了丰厚的物质财富。

武肃王钱镠

及长，钱镠与临安县录事钟起的几个儿子相交甚笃。这时，豫章有一个善相术的人，通过夜观天象，发现在牛宿（xiù）和斗宿之间有一团王气。牛、斗二宿所辖之地在哪里呢？就在吴越的钱塘。这人决定赶往钱塘一探究竟，他到达钱塘又占卜到王气就在临安城，后来善相术人终于在钟起发起的豪贤聚会上找到了王气的散发者。这个散发者不是别人，正是我们的传奇人物钱镠。善相术人望着钱镠说：“此真贵人也！”

二、建立吴越

唐懿宗咸通十三年（872），年仅二十一岁的钱镠凭着一身的武艺开始了戎马生涯。唐僖宗乾符二年（875），浙西裨将王郢（yǐng）拥兵作乱。面对汹涌而至的王郢贼寇，临安石鉴镇将领董昌开始募兵讨贼。董昌见钱镠武艺高强，便让他做了自己的偏将。钱镠虽然初出江湖，但绝不是等闲之辈，和王郢打了几个回合，就将其干掉了。这是他戎马生涯的开门红。

乾符六年（879），农民起义军黄巢部队进入浙东，眼看就要到达临安。当时黄巢拥兵数千，而钱镠手下的人马不过几百人而已。硬扛肯定是不行了，唯一的办法就是智取。经过谋划，钱镠带着十几个剽悍的弟兄上路了，他们埋伏在道路两旁的山谷里，默默地等待时机。黄巢的先锋队来了，他们每人骑着一匹快马，打算迅速经过这里。但是，埋伏在山谷里的钱镠和兄弟们岂能错失良机！他们敏捷地举起弩，拉开弓，箭飞一般地离弦了。钱镠等不愧是射箭的好手，几乎每支都射中了目标，黄巢先锋队的首领当场毙命，黄巢的部队乱作一团。钱镠等乘机把许多大石头推了下去，当场又砸死了不少人。最后，黄巢的部队仓皇而逃，钱镠等斩敌军首级数百颗。

受到惊吓的黄巢部队飞奔到一个叫作“八百里”的镇子上，钱镠的第二计也就随之登场了。原来，钱镠已经做了安排，他对路边的一个老妇人说："倘若后面有大军过来，问您临安部队驻扎在哪里，您就告诉他们'屯兵八百里'。"黄巢的部队来了，由于人生地不熟，果然向这个老妇人询问，老妇人就照着钱镠的交代原话奉告。黄巢一下子惊呆了，心想："刚才十几个人尚且把我打得落花流水，何况八百多里的杭州兵呢？那是多大的一支军队啊！"黄巢于是率军避开了浙江，直奔福建去了。身为北方人，来到陌生的南方，又没有做好情报工作，黄巢哪里知道"八百里"是个地名呢？

与王郢、黄巢交手后，钱镠的作战经验也越来越丰富。唐僖宗广明元年（880），董昌联合杭州各县，组建起了八都兵，董昌受任杭州刺史，并任命钱镠为都指挥使。此时，越州观察使刘汉宏与董昌的矛盾越来越激烈，后来董昌命钱镠消灭刘汉宏。经过数轮的搏斗，最终，钱镠率八都兵将刘汉宏全部消灭。刘汉宏死后，董昌取代了刘汉宏的位置，成为越州观察使，而钱镠则担任了杭州刺史。然而有时历史的结局是难以预料的，昔日的朋友，也许今天就成了死敌。董昌是钱镠的老上司，但自从主政越州后，他糊涂透顶，视司法为儿戏，遇民讼不能决断，竟然以骰子判决胜负。唐昭宗乾宁二年（895），董昌公然反叛大唐，自立为皇帝。钱镠被唐昭宗任命为浙江东道招讨使，专门负责征讨董昌。起初，钱镠感念董昌的提携之恩，犹豫不决，但在见证了董昌的残忍暴虐后，钱镠终于举起了讨伐董昌的大旗。乾宁三年（896），董昌被生擒，在被押往杭州的路上，他因无颜面对钱镠，投水自尽。

剿灭董昌叛军后，唐昭宗赐钱镠为镇海、镇东军节度使，加检校太尉、中书令，赐铁券。铁券是什么呢？就是我们经常听说的免死金牌！据说它可以免本人九死或子孙三死，真是神牌了。

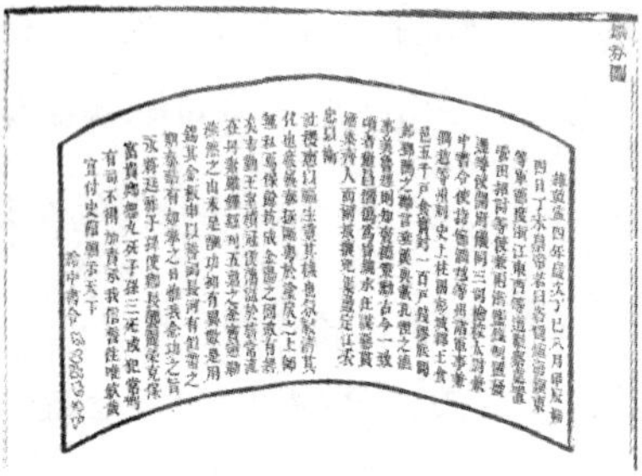

铁券图

唐昭宗天复二年（902），钱镠被封为越王，这是他受封为王的开始。唐哀帝天祐元年（904），钱镠又被封为吴王。天祐四年（907），大唐为朱温所灭。灭唐后，朱温建立了后梁，年号开平，所以公元907年又为梁太祖开平元年。这一年，钱镠被封为吴越王，被后世称为十国之一的吴越国也就正式建立了。

三、经营吴越

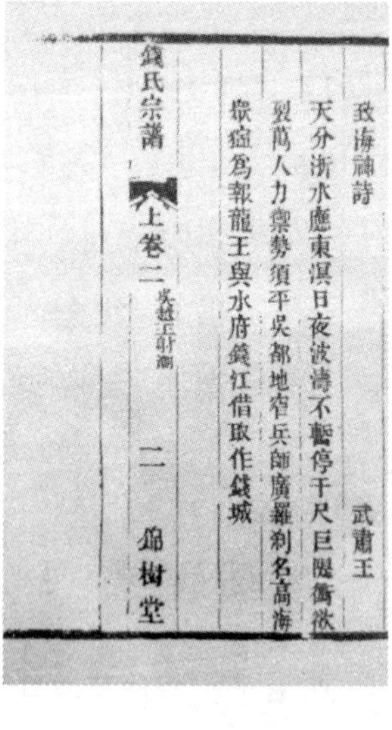

致海神詩 武肅王

天分浙水應東溟日夜波濤不暫停千尺巨堤衝欲

裂萬人力禦勢須平吳都地窄兵師廣羅刹名高海

嶽寧為報龍王與水府錢江借取作錢城

錢氏宗譜 上卷二 吳越王射潮 二 錦樹堂

《致海神诗》

吴越国建立以后，保境安民、励精图治成了钱镠的首要任务。开平四年（910）八月，钱镠动员百姓修筑钱塘江沿岸的捍海石塘。然而，天公不作美，汹涌的潮水一直拍打着岸边，昼夜不停，使得地基根本无法构筑。万般无奈，钱镠只得表告上天：“愿退一两月之怒涛，以建数千年之厚业，生民蒙福。”但是，老天爷没有理会钱镠，潮水仍然肆无忌惮地吞噬着民工辛苦兴建的工事。这该怎么办呢？有人告诉钱镠，伍子胥才是管潮水的潮神，祭天是不管用的。于是钱镠又到胥山祠祷告：“愿息忠愤之气，暂收汹涌之潮。”（《钱氏湖头宗谱上卷二·吴越王射潮记》）他还亲笔写了一首诗献给潮神爷：

天分浙水应东溟，日夜波涛不暂停。

千尺巨堤冲欲裂，万人力御势须平。

吴都地窄兵师广，罗刹名高海众狞。

为报龙王与水府，钱江借取作钱城。

尽管如此，钱塘大潮依然没有停下来的意思。习武出身的钱镠哪能就此罢休呢？他见“文”的解决不了，于是就决定动“武”了。他亲自督兵，用山阳之竹做箭，用鸿鹭之羽做翎，用罡火炼就之铁做镞，制成了三千支专用箭。八月十八日早，三千支箭被均匀分至江边，五百名弓箭手列队完毕。只见他们每人手持一把弓，背负六支箭，静静等待吴越王钱镠的命令。

吴越王射潮图

钱镠亲自登上垒雪楼，仔细观察海潮动向，以便指挥射潮。过了许久，远处传来了潮水的呼啸声。钱镠极目远眺，大呼起潮了，他传令弓箭手做好射潮准备。他一声令下，只见五百支箭齐刷刷射向钱塘江。江岸上锣鼓喧天，成千上万的围观百姓一齐欢呼。此时此刻，海潮的啸叫声，锣鼓的敲击声，弓箭的唰唰声，百姓的欢呼声混合交织，奏响了一曲惊心动魄的乐章。潮水涌上五次，弓箭手们射击了五次。令人奇怪的是，五次之后，刚才汹涌怒吼的海潮再也没来，而是如丧家之犬一般慢慢地隐去了。这样，工事得以继续，捍海石塘得以修成，江边的农田不再受潮水侵蚀，百姓得以安居乐业。因为钱镠对钱塘江和吴越的贡献，后世将其尊称为“杭州之父”和“上有天堂，下有苏杭”的奠基人。

后唐明宗长兴三年（932），吴越王钱镠寿终正寝，享年八十一岁。后唐赐钱镠谥曰武肃，这就是钱氏家族始祖钱武肃王的由来。

第二节　钱镠与钱氏家训

一、钱氏家训的力量

2009年4月17日，一年一度的博鳌亚洲论坛在海南举行。18日，国务院总理温家宝会见了台湾两岸共同市场基金会最高顾问钱复，媒体将这次会面称作“温钱会”。钱复是武肃王钱镠的第三十六世孙，会见一开始，温家宝就与钱复聊起了《钱氏家训》。温家宝说：“我了解杭州的钱王祠有《钱氏家训》，其中说‘利在一身勿谋也，利在天下必谋之’，这与中山先生常引用的‘大道之行也，天下为公’是同一道理。”

据钱武肃王的第三十二世孙钱文选编著的《钱氏家乘》卷六记载，“钱氏家训”包括三个部分，即《武肃王八训》《武肃王遗训》和《钱氏家训》（《钱氏家训》是“钱氏家训”体系的一部分）。温家宝引用的“利在一身勿谋也，利在天下必谋之”出自《钱氏家训》，原文为“利在一身勿谋也，利在天下者必谋之”。《钱氏家训》有600多个字，分为个人、家庭、社会、国家四个部分。但据学者考证，《钱氏家训》并非武肃王钱镠所撰，而是由钱文选根据先祖钱镠的意思整理而成。如今，《钱氏家训》已经被看作钱氏家族规范的一部分了，而且它也在深刻地影响着钱氏家族的后人们。

在浙江嘉兴，有一座钱氏清芬堂纪念馆，它坐落于古色古香的梅湾街一隅，“清芬堂”一名取自清高宗为钱家的题字“清芬世守”。纪念馆的负责人是钱武肃王的第三十三世孙钱霆，他热衷于搜集钱氏文史资料和书画作品，当《钱江晚报》的记者问他搜集钱氏资料的目的时，他说：“我想让子孙后代更多地了解钱氏历史，恪守《钱氏家训》，让好的传统世代相传。”钱霆特别重视《钱氏家训》，钱霆说：“听长辈说，以前钱家一有婴儿出世，全家就会诵读《钱氏家训》。”近代以来，背诵《钱氏家训》的传统断掉了，钱霆希望通过自己的努力让后代领会《钱氏家训》的精神，认认真真做事，清清白白做人。

2012年是武肃王钱镠诞辰1160周年。是年清明，临安市首次在钱王陵举行公祭活动，以纪念这位“上有天堂，下有苏杭”的奠基人。参加公祭的著名钱氏子孙有中国科学院外籍院士钱煦、钱学森之子钱永刚、钱伟长之子钱元凯、钱三强之子钱思进、复旦大学历史学系教授钱文忠等。据中国新闻网报道，整个祭祀活动依次包括击鼓撞钟、贡祭品、奏祭乐、恭祭文、奉祭舞、敬清香、诵家训、献花篮等仪式。在诵家训环节，钱文忠满怀诚敬地带领500多位钱氏子孙诵读了《钱氏家训》：

心术不可得罪于天地，言行皆当无愧于圣贤。

曾子之三省勿忘，程子之四箴宜佩。

……

二、遗训与国家

在扩音器的助力下，抑扬顿挫的诵读声和着悠扬的韵律将《钱氏家训》的每一个字词传播到临安的上空。诵读的声音越来越悠长，闭上眼睛，我们仿佛又回到了钱镠生活的那个时代：八十高龄的钱镠走进书房，摊开稿纸，握起毛笔，沉思着对子孙的教诲，一篇篇肺腑之言就形诸笔尖了。但是，钱镠写就的并不是《钱氏家训》，而是《武肃王八训》和《武肃王遗训》。

《武肃王八训》与《武肃王遗训》内容一致，从行文和名称上看，《武肃王遗训》是在《武肃王八训》的基础上改订的。此时，年过八旬的钱镠已经重病缠身，他知道自己将不久于人世，有很多心里话想对子孙们说。对于“国”，他充满了深深的眷恋之情；对于“家”，他又有许多忠告。在《武肃王八训》和《武肃王遗训》中，我们看到了一个铮铮铁汉无比细腻的家国情怀。

钱镠是吴越国的开创者，但是他从来不以吴越王自居。钱镠一生经历了唐、后梁、后唐三个朝代，但始终以臣子的身份效忠中原故土。他在《武肃王遗训》中说：“余固心存唐室，惟以顺天，而不敢违者，实恐生民涂炭，因负不臣之名。而恭顺新朝，此余之隐痛也。”大唐是钱镠心中的正统，不敢有违抗之心。后梁和后唐虽然是钱镠的“隐痛”，但他始终没有反叛。为了苍生社稷和黎民百姓，钱镠坚守着臣子身份，并要求子孙后代恪守臣子的节操。《武肃王遗训》第二、第三正表达了这样的意思：

第二，凡中国之君，虽易异姓，宜善事之。

第三，要度德量力而识时务，如遇真主，宜速归附。圣人云：顺人者存。又云：民为贵，社稷次之，免动干戈，即所以爱民也。如违吾语，立见消亡。依我训言，世代可受光荣。

归顺中原是钱镠的立场和治国策略。据《资治通鉴》记载，临终前的钱镠对床边的钱元瓘（guàn）说了一句遗言："子孙善事中国，勿以易姓废事大之礼。"意思是说，今后的子孙们要亲善地对待中原，不要因中原统治者改朝换代而抛弃侍奉大国的礼节。钱镠为什么要留下这样的遗言呢？他想：与称帝相比，百姓的身家性命更为重要。为了使百姓和士兵免受干戈之苦，为了保持吴越经济的稳定发展，钱镠做出了英明的决策。

从907年封王立国到978年纳土归宋，吴越国共经历了武肃王钱镠、文穆王钱元瓘、忠献王钱弘佐、忠逊王钱弘倧、忠懿王钱弘俶（chù）等三代五王，其中钱元瓘为钱镠的第七子，钱弘佐、钱弘倧、钱弘俶则分别为

文穆王钱元瓘

忠献王钱弘佐

钱元瓘的第六、第七、第九子。960年，赵匡胤黄袍加身，建立了宋朝，后世称为北宋。随后十几年，南平、后蜀、南汉、南唐等小国纷纷被大宋兼并。唇亡齿寒，与南唐毗邻的吴越在劫难逃。身为吴越国王的钱弘俶面临着两难的抉择：是与北宋抵抗到底呢，还是缴械投降呢？经过激烈的思想斗争和群臣的轮番争辩，钱弘俶最终还是服从了爷爷钱镠“如遇真主，宜速归附”的训导，纳土归宋。978年，吴越国悄然退出历史舞台，没有伤害一草一木，没有动用一兵一卒。此乃民之幸事也！

忠逊王钱弘倧

忠懿王钱弘俶

善事中原是钱镠的遗愿，善待百姓是钱镠的准则，“心存忠孝，爱兵恤民”准确地表达了钱镠的治国理念。要知道只有与百姓同甘苦、共命运，钱氏家族才能受民拥戴，福运绵长啊！为此，钱镠告诫诸子，不要欺负孤寡老幼，也不要伤害老百姓的利益，“多设养济院，收养无告四民，添设育婴堂，稽察乳媪。勿致阳奉阴违，凌虐幼孩”。为了能够使老百姓安居乐业，钱镠还告诫诸子，要充分利用地域优势，教百姓开垦荒地，广种桑麻，但决不可征收苛捐杂税，以免造成百姓“增产不增收”的悲剧。

百姓丰足，国家才会丰足啊!

三、遗训与家族

除了国事，《武肃王八训》和《武肃王遗训》还用很大的篇幅阐明了家庭和睦的重要性。钱镠为什么特别强调家庭和睦尤其是兄弟之间的手足亲情呢？这就要翻一翻《钱氏家乘》了。据《钱氏家乘》记载，钱镠有三十多个儿子。儿子众多难免会发生兄弟阋于墙的不幸，这正是钱镠所不愿看到的事情。因此，钱镠在《武肃王八训》和《武肃王遗训》中花了大量笔墨强调家庭和睦的重要性，如他在《武肃王八训》第三中告诫诸子：

> 吾见江西钟氏养子不训，自相图谋，亡败其家，星分瓦解；又见河中王氏、幽州刘氏，皆兄弟不顺不从，自相鱼肉，构讼破家，子孙遂皆绝种；又见襄州赵氏、鄂州杜氏、青州王氏，皆被小人斗狯（kuài），尽丧家门。汝等兄弟，或分守节制，或连绾（wǎn）郡符，五升国号，一领蕃节，汝立台衡，并存功业。古人云：“妻子如衣服，衣服破而更新；兄弟如手足，手足断而难续。”汝等恭承王法，莫从骄奢，兄弟相同，上下和睦。

实际上，钱镠在这里指出了唐末军阀内部存在的两大棘手问题：一是在继承人问题上父子兄弟自相残杀，即“养子不训，自相图谋”，“兄弟不顺不从，自相鱼肉”；二是部将的势力超过首领，首领为部将所谋害，即“小人斗狯，尽丧家门”。在这两大问题中，前者强调了家庭关系，后者强调了上下级关系，相较而言，家庭关系的作用更是基础性的，因为一个组织的破裂和瓦解往往是从内部开始的。在《武肃王八训》中，钱镠列举了江西钟传的两个儿子争夺继承权的故事，列举了河中王重盈的儿子王珙和王重荣的义子王珂兵戎相见的故事，还列举了幽州刘守光囚禁父亲刘仁恭并与兄长刘守文互相残杀的故事。这样残忍的事实不得不引起钱镠的深思，他唯恐自己死后诸子自相残杀，到头来落得个家破人亡的境地。因此，钱镠特地在《武肃王八训》和《武肃王遗训》中嘱托诸子要“兄弟相同，上下和睦”。

在写《武肃王遗训》时，钱镠已经年届八十，垂垂老矣，然而在他的众多儿子中，有的还很年幼，尚没有独立能力；有的已经去世，留下了孤儿寡母。因此，钱镠在《武肃王遗训》中专门对那些年长的儿子有一番嘱托。钱镠苦口婆心地对他们说：“如今元琛、元璠（fán）、元禧等还很年幼，作为哥哥，你们不仅要细心照料他们现在的饮食起居和日常生活，而且还要替我操持他们将来的事业和婚配；元璲、元璛等已经逝世，但他们留下的孩子还很幼小，作为叔伯，你们一定要怜惜和教养他们，将他们看作自己的孩子，不要区分彼此。”总之，钱镠希望自己那些年长的孩子能够善待他们的弟弟和侄子，这样他就可以了无牵挂了。

钱镠还告诫子孙：“吾家世代居衣锦之城郭，守高祖之松楸，今日兴隆，化家为国，子孙后代莫轻弃吾祖先。”“衣锦”指钱镠的老家衣锦乡，“松楸”是松树与楸树，因墓地多植，故以此代称坟墓。整句话表达了钱镠希望子孙勿忘祖先、勿弃故土的热切心情。好好回顾一下祖先创业的艰苦历程吧，祖先的事业来之不易，世代居住在这里是对祖先最大和最好的回报。

在《武肃王八训》和《武肃王遗训》中，钱镠还特别强调婚姻的重要性。婚姻不仅仅是两个人的事情，而且是两个家庭或家族的事情。为女儿选择良婿，为儿子选择佳妻很重要，而且夫婿或妻子的家庭背景也必须重视。钱镠告诫诸子：“为婚姻须择门户，不得将骨肉流落他乡及与小下之家，污辱门风；所娶之家亦须拣择门阅，宗国旧亲是吾乡县人物，粗知礼义便可为亲，若他处人必不合祖宗之望。”婚姻之幸福与门风之荣辱紧密相关，无论嫁女还是娶妻以本乡本土门风端正人家为宜，这就是钱镠的婚姻遗嘱。

家风是一个家族在世代延续过程中形成的风气和传统。钱镠非常重视钱氏家族的家风，他在《武肃王遗训》的最后一条中告诫诸子：“吾立名之后，在子孙绍续家风，宣明礼教，此长享富贵之法也。倘有子孙不忠、不孝、不仁、不义，便是坏我家风，须当鸣鼓而攻。”修身、齐家、治国、平天下是传统社会士人的共同信仰。钱镠希望子孙后辈心存忠孝仁义。唯有如此，优良的家风才能越传越远，富贵的家族才能永葆长久。

第三节 钱氏名人遍天下

自武肃王钱镠以来，钱氏家族犹如一株参天大树，其枝益繁，其叶益茂。钱氏后裔以吴越故地为中心，不断繁衍，遍及全国。如今，他们的足迹早已踏遍了世界各地。钱氏家族被人称为“千年名门望族、两浙第一世家”，千百年来涌现出一批又一批杰出的人才。近代以降，钱氏家族甚至出现了人才“井喷”的现象，有人将这一时期的“钱氏人才谱”总结为“一诺奖、二外交家、三科学家、四国学大师、五全国政协副主席、十八两院院士”。

一、一诺奖：钱永健

钱永健是美籍华人，钱镠的第三十四世孙，2008年10月以对绿色荧光蛋白的研究获该年度诺贝尔化学奖。获奖之后，钱永健接受了媒体的采访。对于工程师这样的职业，他说：“我注定了继承家族的血统，似乎生来就要做这样的工作，走这样的道路。”（《钱永健：我只是继承了家族血统》）为什么这样说呢？因为钱永健出生在一个“科学家之家”，父亲钱学榘是美国波音公司工程师，堂伯钱学森是中国导弹之父，哥哥钱永佑是神经生物学家、美国科学院院士。

二、二外交家：钱其琛、钱复

钱其琛，江苏嘉定（今上海嘉定区）人，钱镠的第三十三世孙，中国职业外交家，曾担任国务院副总理。

钱复，浙江杭州人，有机化学家、教育家钱思亮之子。1949年，钱思亮应傅斯年之聘到台湾大学担任化学系教授，钱纯、钱煦、钱复兄弟亦跟随前往。20世纪60年代以来，钱复一直在台湾从事外务工作，并于1990年到1996年担任“外交部长”一职。1985年，台湾金融界发生震动，钱复的大哥钱纯临危受命，只身就职“财政部长”。他的二哥钱煦与钱永健一样，也是一位美籍华裔科学家，与钱永健供职于同一所研究院，还是台湾“中央研究院”第十一届院士。为此，有人将钱复与其大哥钱纯、二哥钱煦并称为“台湾三钱”。

三、三科学家：钱学森、钱伟长、钱三强

钱学森是中国导弹之父，钱伟长是中国力学之父，钱三强是中国原子弹之父，他们三人早在1956年就被周恩来总理称为中国科学界的“三钱”。钱学森为浙江杭州人，是钱镠的第三十三世孙。他的父亲钱均夫博学多才，曾东渡日本留学，后在民国教育部门任职多年。因此，钱学森从

小就得到父亲良好的教育。晚年的钱学森亦非常重视教育，2005年，他面对前去看望他的温家宝总理，提出了著名的“钱学森之问”，即“为什么我们的学校总是培养不出杰出的人才”。这个问题引发了所有中国人的深思。

钱伟长是江苏无锡人，钱镠的第三十五世孙。他的父亲是国学大师钱穆的长兄钱挚，钱伟长的名字即为钱穆所取。钱挚英年早逝，钱伟长从十六岁就待在四叔钱穆身边，受钱穆的影响极大，对古文和历史的兴趣很浓，后来改学理工科是因为受到了日本侵华的刺激。

钱三强是浙江吴兴（今湖州市）人，钱镠的第三十五世孙。他的父亲是国学大师钱玄同；伯父钱恂是晚清出色的外交家；堂兄钱稻孙是我国著名的翻译家、作家；从兄钱仲联是我国著名的古典文学研究专家。在家庭环境的熏陶下，钱三强受到良好的教育，并在父亲的支持下选择了物理专业，最终成为一名杰出的科学家。

四、四国学大师：钱玄同、钱基博、钱穆、钱锺书

钱玄同，字德潜，号疑古，国学大师章太炎的高足、音韵训诂大家，他所著的《文字学音篇》是我国高等学校最早的音韵学教科书。

钱基博，字子泉，国学大师，著有《经学通志》《韩愈志》《古籍举要》《国学必读》等著作。

钱穆，字宾四，我国著名的历史学家、国学宗师。他自幼熟读经典，博学多才，虽高中肄业，却写出《刘向歆父子年谱》这样的好文章，后得到顾颉刚赏识，获得大学教职。钱穆一生著述颇丰，《钱宾四先生全集》

足有一千七百万字。钱穆之子钱逊是清华大学思想文化研究所教授，著有《论语浅解》《先秦儒学》《中国古代人生哲学》等书，可谓得父亲衣钵。钱穆之女钱易是清华大学环境工程系教授、中国工程院院士，想必其理工专业的成长与堂兄钱伟长有着莫大的联系。

钱锺书，字默存，号槐聚，钱基博之子，中西贯通，堪称“文化昆仑”，著有《管锥编》《谈艺录》《围城》《写在人生边上》等书。

五、五全国政协副主席：钱学森、钱昌照、钱正英、钱伟长、钱运录

钱学森是全国政协第六届至第八届副主席。钱伟长是全国政协第六届至第九届副主席。

钱昌照，江苏常熟人，1899年生于官宦之家，母亲为清末诗人龚自珍的孙女。他自幼跟随母亲诵读经书，长大后到英国学习经济学，后来长期从事资源和财经工作。新中国成立后，钱昌照曾担任全国政协第五届至第七届副主席。

钱正英，女，出生于浙江嘉兴一个名门望族。父亲为美国康奈尔大学土木工程硕士，对钱正英要求非常严厉，希望她成为“中国第一个女工程师”。然而在经历了汉江决堤、淮河泛滥等天灾之后，钱正英毅然选择了水利事业。1952年，年仅二十九岁的钱正英被任命为国家水利部副部长，1975年到1988年，她长期担任国家水利电力部部长一职，此后她还担任了全国政协第七届至第九届副主席。

钱运录，湖北大悟人，先后担任湖北省委副书记、贵州省委书记、黑龙江省委书记、全国政协第十一届副主席。

六、日益增多的钱氏院士

据李承春2012年5月3日发表在《中国文化报》上的《钱氏家族与〈钱氏家训〉》一文，在当代，全球有一百多位有名的院士出自钱镠之后。在我国，至少有十八位院士为钱镠后人。随着时间的推移，钱氏院士的人数也在不断增加中。据2010年鸿声钱氏家族写给梅村中学的一封题为“饮水思源　万分感谢”的感谢信统计，我国目前有二十二位钱氏院士，他们分别为钱学森、钱伟长、钱三强、钱崇澍、钱人元、钱易、钱锺韩、钱保功、钱临照、钱令希、钱鸣高、钱逸泰、钱皋韵、钱七虎、钱宁、钱志道、钱绍钧、钱正英、钱俊瑞、钱穆、钱思亮、钱煦。二十二位院士中有六位出自无锡湖头鸿声钱氏，他们分别为国学大师钱穆、力学与应用数学家钱伟长、环保专家钱易、物理学家钱临照、工程力学专家钱令希、经济学家钱俊瑞，此六院士并称为“鸿声钱氏六院士”。有意思的是，他们的关系也极为亲密，钱穆与钱伟长为叔侄关系，钱穆与钱易为父女关系，钱临照与钱令希则是亲兄弟。

第四节　堠山钱氏的源流

一、无锡钱氏分堠、湖

从武肃王钱镠开始，钱氏家族名人辈出、遍及全球，子孙繁衍千年、播撒万里，这简直可以算作中国家族史的一大奇迹了。据《钱氏家乘》记载，国内有迹可循的钱氏宗脉有一百多支，其中较为著名的有杭州钱氏、嘉兴钱氏、湖州钱氏、嘉定钱氏、无锡钱氏、宜兴钱氏等，这从上一节钱氏名人的出生地就可以看出端倪。

钱基博、钱穆均属于无锡钱氏，然而他们却分属两个支系。钱基博为堠山钱氏，钱穆为湖头钱氏。而无锡钱氏正好包括堠山、湖头两支。在无锡惠山，有一座著名的钱王祠，始建于清高宗乾隆三年（1738），它是迁往无锡的钱氏子孙为祭祀先祖武肃王钱镠而建的共用宗祠。民国14年（1925），惠山钱王祠在军阀混战中被毁。民国17年（1928），钱氏后裔湖头支钱伯圭、堠山中丞支钱守恒等共同主持修复了钱王祠。其中，钱伯圭为钱临照、钱令希兄弟的父亲，也是钱穆在果育小学的体操老师和政治启蒙老师。钱王祠修复后，钱守恒为钱王祠拟就了一副楹联：

西临惠麓，东望锡峰，祠宇喜重新。吴越五王，亿万年馨香俎豆。

派衍梁溪，源分浙水，云礽欣愈盛。堠湖两系，千百岁华赀簪缨。

从这副楹联中，我们可以清楚知道无锡钱氏的源流。上联点明了惠山钱王祠的地理位置和修复之后的崭新面貌。惠山钱王祠供奉着以武肃王钱镠为代表的吴越五王，吴越五王享受着历代子孙的祭礼，这正说明了钱氏子孙的源远流长。下联指出无锡钱氏的来源、支系和作为。梁溪源于无锡惠山，北接运河，南入太湖，历史上曾为无锡的别称；浙水即浙江，是钱塘江及其上流的总称，它是吴越钱氏的发源地，也是武肃王钱镠发迹的地方；云礽原指远孙，后来比喻后继者；华赀簪缨是荣华富贵和达官显宦的代称。整句话是说无锡钱氏源于浙江钱塘，自迁无锡以后，子孙后代不断繁衍，堠山和湖头两支不断壮大，千百年来为无锡发展做出巨大的贡献，也取得了显赫的地位。

武肃王钱镠有八房妻妾，三十多个子嗣。吴越创建后，钱镠的众多子孙被分封到江浙各地，并不断繁衍。这样，钱氏子孙便分布在东南各地。无锡堠山钱氏和湖头钱氏分别出自忠懿王钱弘俶和忠献王钱弘佐。据清代钱茂祥等纂修的《钱氏湖头宗谱》记载，忠献王钱弘佐有一个曾孙叫钱进，字晋宗，为承奉郎。宋真宗大中祥符四年（1011），钱进自嘉兴入赘到无锡沙头王家，是为迁往无锡的始祖。钱进的曾孙钱梓又入赘到新安乡湖头，新安湖头钱氏之称就出自这里。2011年4月6日，江浙一带的钱氏后人齐聚惠山钱王祠，共同纪念钱进迁锡1000周年。幸运的是，他们还找到了钱进的墓地，这对于追思这位迁锡始祖是一个莫大的安慰。

二、忠懿王钱弘俶之子钱惟演

民国37年（1948），钱基博整理出《堠山钱氏丹桂堂家谱》。家谱分谱系、世表、行述和文征四个部分。钱基博对每个部分的编写用意进行了简要说明，他说：

谱系者，所以详吾祖宗之自出而溯其源；世表者，所以明吾子孙之繁衍而极其流。（《堠山钱氏丹桂堂家谱·世表第二》）

世表者，所以详吾祖父之世系、生卒；行述者，则以阐吾祖父之生平、志行。（《堠山钱氏丹桂堂家谱·行述第三》）

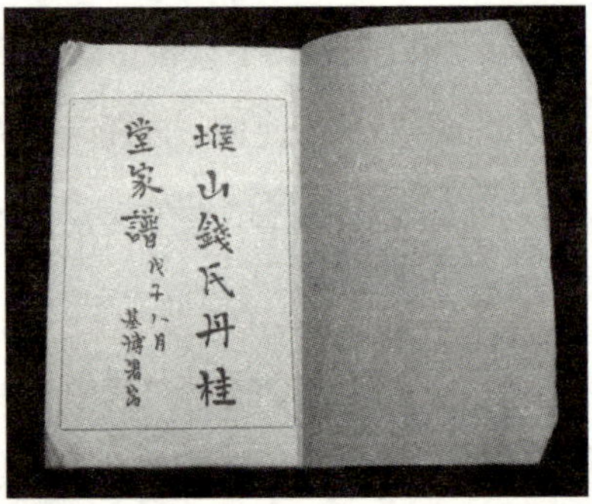

钱基博整理的《堠山钱氏丹桂堂家谱》

盖行述以阐其实，章氏（学诚）所谓仿纪传正史体而有作，春秋之流别也；文征以博其趣，章氏所谓仿文选文苑之体而有作，风诗之流别也。（《堠山钱氏丹桂堂家谱·文征第四》）

在谱系中，钱基博追述了祖父榕初公之前的家族史，旨在说明本家族的由来。他认为，家谱有族谱、支谱和派谱的区别。“支者，族之所分；而派者，又支之所析。支大而派小。”钱基博细心挖掘出本家族的开族始祖、开支祖、开派祖和分派祖。我们也从中发现了一个规律，即开族、开支、开派祖的确定与居住地的搬迁有着十分密切的联系。

钱基博将自己的先祖上溯到传说中的黄帝，因为年代久远，难免失真，我们不妨从钱氏家族共同追认的始祖武肃王钱镠说起。更进一步说，钱基博乃钱镠之孙钱弘俶的后代。钱弘俶为吴越的最后一个王，其最大的历史贡献就是纳土归宋。

钱弘俶有九个儿子，其第八子为钱惟演，生于宋太宗太平兴国二年（977）。太平兴国三年（978），钱弘俶携吴越十三州归宋，于是年仅两岁的钱惟演便成了宋朝人。钱惟演一生奔于仕途，几度沉浮，政治上颇不得意，甚至遭人诟病。然而这却阻挡不了他在文学上的成名，因为钱惟演雅好文辞，博览群书，文学造诣极高。在洛阳为官时，钱惟演曾对自己的属下说：“平生唯好读书，坐则读经史，卧则读小说，上厕则阅小词，盖未尝顷刻释卷也。”（《堠山钱氏丹桂堂家谱·谱系第一》）《宋史》第三百一十七卷也记载，钱惟演平时于书无所不读，家中所藏之书可与秘府相比。所谓秘府，即皇家藏书之所，藏书全国最丰，由此可知钱惟演的诵读量之大和藏书量之多。

景德二年（1005），宋真宗命杨亿、钱惟演、刘筠等编修有关历代君臣事迹的大型类书《册府元龟》，并下诏让杨亿和钱惟演分别为之作序。编修《册府元龟》之余，钱惟演等十七人常以诗歌往来唱和，后来杨亿将其结集为《西昆酬唱集》。《西昆酬唱集》在艺术手法上宗法唐代李商隐，取材丰富，用语考究，变化万千，一问世就风靡诗坛，引得大家争相模仿，后世称这一写作形式为“西昆体”。钱惟演一生著述颇丰，曾作《典懿集》《金坡遗事》《飞白书叙录》《逢辰录》《奉藩书事》等书。

三、堠山钱氏开族始祖钱迪

钱惟演有子十一人，其第六子为钱暄，曾担任台州郡守，任职期间，台州发生了严重秋涝。于是，钱暄带领台州百姓疏通水道，巩固城池，解决了百姓的生存危机。因秋涝，台州颗粒无收，无法交租，两浙转运使因收不到租税被关押入狱，钱暄特向皇帝上书，言明真相，解救了两浙转运使。

钱暄有子十二人，其第九子为钱景臻。宋神宗熙宁年间，钱景臻进翰林做侍读学士。此时，王珪为翰林学士承旨，负责起草制、诰、诏、令，可以自由出入宫廷。一天，宋神宗下诏说：“庆寿公主和承寿公主都是朕的姑姑，如今尚未出阁。爱卿可代朕选一两位出身高贵的有福之人，以做我大宋的驸马。”王珪谢主隆恩，诚惶诚恐地揣着诏书回家了。此后，他天天留意身边的小伙子，但是有的有福相却不高贵，有的很高贵却没福相。这可急坏了王珪，他真担心完不成皇上交给自己的重要任务。

但是，天无绝人之路。王珪的长子王仲修在翰林院做侍读学士，和钱景臻同斋。当王仲修知道父亲遇到的难题后，便很有信心地向父亲推荐了钱景臻。他告诉父亲：“我有一个同舍生叫钱景臻，长相非凡，文采斐然，恐怕可以应诏。”急得团团转的王珪便立刻赶往翰林院，他置办了一桌宴席，叫儿子把所有的同舍生都请来同餐。餐后，他又请大家喝茶。借着吃饭、喝茶之机，王珪观察了钱景臻许久。经过观察，王珪觉得钱景臻是个可造之才。但他还不放心，又让儿子把钱景臻的文章偷了出来。看过文章，王珪心里的石头终于落地，因为他可以交差了。之后，事情像想象的一样顺利，宋神宗和太皇太后对这位吴越王之后极为满意。最后钱景臻与太皇太后的侄子曹诗分别迎娶了庆寿公主和承寿公主。宋神宗还赐给两位公主每人一处宅第，宅第在当时的汴京（今开封），这样钱景臻就在汴京定居下来。一年后，宋神宗晋封庆寿公主为鲁国大长公主。

宋钦宗靖康元年（1126），钱景臻去世，朝廷追赠他为太师、会稽郡王。钱景臻有四个儿子，其第三子为钱愐。靖康之难后，钱愐奉母大长公主，随从宋高宗南迁。高宗在台州临海赐给公主一处宅第，名为“一行宅”。钱愐后又辗转到嘉兴定居。死后，朝廷赐他为太师、咸宁郡王。钱愐曾撰有《钱氏私志》一卷，将自己的身世、经历与朝廷掌故融为一体，具有重要的历史价值。

钱愐有三子，其第二子为钱端瑀，官至江南东路转运使。钱端瑀生钱�，曾任亳州太守。钱筠有三子，其第三子为钱显祖，以父荫，授承事郎。承事郎为文散官，与职事官不同，没有实际职务，是从八品上，但也可以算作一项名誉的象征。

钱显祖有二子。长子钱达，迁居湖州，开麒麟巷一支。次子钱迪，字尚父，在无锡梅里乡堠山之西有一座庄园，他经常偕家眷前往。久而久之，钱迪发现堠山是个历史悠久、人杰地灵的好地方。相传，在商朝末年，岐山周部落逐渐壮大起来，年老的首领古公亶父也开始考虑继承人的问题。他发现自己的小儿子季历非常贤明，且季历的儿子姬昌有祥瑞之兆，于是便想把王位传给季历及其子姬昌。他曾当着长子泰伯的面感慨道：“我的后代当中能成大事的，大概就是姬昌吧！”泰伯听到这句话，明白了父亲的想法，于是就带着二弟仲雍，连夜逃到蛮荒的吴地去了。孔子为泰伯的礼让精神所感动，并在《论语》中这样称赞他：“泰伯，其可谓至德也已矣。三以天下让，民无得而称焉。”据说，在南逃路上，泰伯曾在堠山停留，后来就移居到梅里。

此外，堠山的泉水非常甘甜，土层也很深厚，空气清新，花香扑鼻，非常适宜人类居住。经过慎重思考，钱迪决定迁居到这里。宋理宗宝庆元年（1225），钱迪率家眷从吴兴迁居到无锡梅里堠山，是为无锡堠山钱氏的开族始祖。

在清代建立的惠山钱王祠，有专祠供奉晋宗公钱进和尚父公钱迪两位迁锡始祖。他们也分别是湖头钱氏和堠山钱氏的始祖。如今，堠山已改作吼山，20世纪90年代，吼山森林公园落成，无锡钱氏后人钱绍武为公园题写了匾额。吼山的风景很美，它见证了钱迪之后堠山钱氏不断奋斗的风雨历程。

四、城西开支之祖钱缶

钱迪有三子，其长子为钱致諳（án），曾任江东节度使。钱致諳有子二人，长子钱伯一，生于宋而死于元。钱伯一也有二子，长子叫钱正，次子叫钱缶。

钱缶曾官至江西铅（yán）山州学正。学正是一个学官，宋朝始设。元朝时，国子监，各路、州、县学都设有学正。学正位于教授、助教之下，学录之上，负责训导和学规的执行。身为学官的钱缶酷爱学习，一生潜心经学，对《易》研究尤深。《易》是一部讨论阴阳变化的奇书，通过六十四卦的周流运转阐释自然、人事的道理。后来，对《易》的解读成为一门专门的学问，即为易学。自古以来，易学一直存在着易理派和象数派的区别。钱缶属于象数派，深明先天象数和后天象数的分别。

原来，六十四卦由八卦两两结合而成，但八卦有先天八卦和后天八卦的区别。相传，先天八卦为伏羲所定，后天八卦为周文王所定。先天八卦的卦序是：一乾、二兑、三离、四震、五巽（xùn）、六坎、七艮、八坤。后天八卦的序数是：一坎、二坤、三震、四巽、五乾、六兑、七艮、八离。因为对易象的精通，学者尊称钱缶为易象先生。易象先生在世时，将自己的家迁往无锡城西，是为堠山钱氏一大支系“城西支”的开支之祖。

五、安素派祖钱谦、永义派祖钱益

钱缶有子八人，其第三子叫钱均用，均用后人为西涯派，世居城中。第八子叫钱均辅，与无锡画家倪瓒互为好友。钱均辅有一子，名钱祐，字天锡。钱祐生四子，分别为钱德、钱敬、钱谦、钱益。其中钱德、钱敬到湖广为官，其子孙就定居在那里。而钱谦、钱益则入明不仕，携手归隐山林。

在古代，每当朝代更迭，总有一批不仕新朝的人，我们把他们叫作遗民。遗民对旧朝有一种难以割舍的依恋情结，而对新朝有一种无力回天的抵触心理，所以他们只能通过与新朝的“非暴力不合作”得到心灵上的些许安慰。在中国历史上，元初和清初的遗民最多。因为元朝和清朝都是由少数民族建立起来的政权，为严守“华夷之辨”的中原知识分子所不容。钱选，武肃王钱镠之后，是宋末元初著名的画家，与赵孟頫（fǔ）齐名，代表作有《八花图》《浮玉山居图》《山居图》等。他是宋理宗景定三年（1262）的进士，入元后从未出仕，可谓元朝初年的遗民了。

钱谦、钱益兄弟是明朝初年的遗民。他们两人归隐后，每日诵读诗书、把酒当歌，以吟歌赋诗为乐，以教育子孙为业，兄弟怡怡，以至终老，将美名传于后人。钱谦，字永谦，号安素，为安素派祖。钱益，字永义，是为永义派祖。

六、黄泥桥分派祖钱法曾

钱益有一子，名钱继。钱继生四子，次子叫钱浦。钱浦有两子，长子叫钱琰。钱琰生一子，名宪，字国章，号心斋。钱宪自幼聪明伶俐，还没有入学堂，就已经认得一箩筐的字了。父亲曾教他背诵整本唐诗，他竟然没有遗漏一个字，人们都称他为神童。可是等到去了学堂，他却像变了一个人，整日不务正业，嬉戏打闹，东奔西跑，满嘴胡言。尤其让人气愤的是，他对学堂里的先生很不尊重。一日，遭受戏谑和侮辱的先生气愤不已，扬长而去。这下，钱宪失学了，再也没有先生敢教他。

在乡间疯跑了五六年，他无聊极了。因为同龄人都去上学了，只有他一个人无所事事地玩着。父亲多次劝说他上学，可是他就是不听。一次偶然的机会，他溜进了县里的学宫。只见那里的诸生穿着整齐的衣冠，摇头晃脑地诵读着“子曰”“诗云”，钱宪羡慕不已。从此之后，钱宪又像幼时一样用功读书了。经过几年的努力，钱宪对“四书”“五经”有了深入的理解，所有的圣贤道理也好像融汇到他的血液里。天道酬勤、水到渠成，钱宪荣获明武宗正德九年（1514）甲戌科进士。

钱宪有一子，名至生。他早年为县学诸生，但在乡试中屡不得志，考十余次，仅列副榜。钱至生有子三人，其幼子名钱如玉。钱如玉有五子，第二子名钱法曾，字符先。钱法曾生在明末清初，与自己的八世祖钱益一样，经历了朝代更替。钱法曾不愿做清朝的顺民，以明朝遗民自居，隐居在无锡北门之黄泥桥，是为黄泥桥分派的始祖。在黄泥桥，他每日诵读孔孟之书，通过与圣贤对话来修身养性。他不问世事，与世无争，但如果有好友聚会，他会欣然而往，在诸友面前奋笔疾书，以展现他的文采，抒发他的情怀。钱法曾著有《求实斋文稿》一书，有四百多篇，其中部分文章被同郡瞿丽江选入《毗陵文征》前集。

钱法曾有子三人，幼子名钱林。钱林生四子，第四子叫钱照。钱照继承祖父的文化基因，喜欢著述，有《希天阁文稿》存世，部分文章也被选进《毗陵文征》前集。钱照有子二人，长子叫钱奎。他在家学的濡染和熏陶下，也撰有《北郭吟稿》和《规世格言文稿》。这两本书也有文章选入《毗陵文征》前集。从钱法曾到钱照，再到钱奎，先后经历了四代，有三代撰有文稿，并且都有文章收入同一种文献中，这的确说明了家学的重要。

七、丹桂堂祖钱维桢

钱奎有四子，其幼子名钱士镜。钱士镜自幼聪明颖悟，几岁时就能读父亲的书。但世事难料，父亲去世使得原本殷实的钱家开始中落，钱士镜不得不离开学堂，外出谋生。由于本钱很少，钱士镜只能从小贩做起。他不辞辛劳，每天挑着担子，走街串巷，风雨无阻。几经辗转，钱士镜从无锡来到了江阴。江阴与无锡相隔只有100华里，是长江南岸一个重要的交通枢纽，商铺林立，经济发达，发展前景非常广阔。得天独厚的自然和人文环境给了钱士镜一个大显身手的机会。他很快就凭着自己的勤劳和谋略在江阴站稳了脚跟。随着时间的推移，钱士镜从一个小商贩成长为一名大老板，生意兴隆，日进斗金。

因为经历过家道殷实、中落、再复兴的转变，钱士镜对其中的五味深有体会。他懂得家庭贫困的艰难，也知道家业复兴的不易，因此他对自己的亲属特别眷顾。钱士镜的大部分族人都在无锡，所以他特意将自己的部分资财寄回老家，以供养那些无依无靠的钱氏子孙。尽管一辈子经商，钱士镜的内心仍对家学充满了温情，在经商之余，也潜心诗书。五十岁时，他画了一幅《桐阴听读图》，并自题“隔院书声听尚乐，芸编亲对乐何如”。“芸编”是书籍的代称，整句话的意思是听着隔壁院子里传来的读书声高兴极了，那么亲自面对诗书又是一种怎样的高兴场面呢？这句诗充分说明了钱士镜渴望诗书的急切心情。

钱士镜有两个儿子，长子叫钱若浩。《皇清书史》记载：“钱若浩，字观涛，金匮国子生，侨寓江阴，善书法，工大小米。”清世宗雍正二年（1724），无锡拆置金匮县，即原来的无锡县分成无锡、金匮两县，两县共用同一个县城，合称锡金。直至民国元年（1912），金匮县才被撤销。钱若浩的户口就在金匮县，他是金匮县的国子生，国子生即国子监学生的简称。在清朝，国子监是国家的最高教育管理机构和最高学府，隶属礼部。国子生多从府、州、县学中选拔，他们是全国学子中的佼佼者。钱若浩能够进入国子监学习，说明他的国学功底在金匮乃至江南都是相当优秀的。钱若浩自幼练习书法，写得一手漂亮的字。有一次，他偶然临摹了宋代米芾（fú）、米友仁父子的字帖，自此便对“二米”的书法着了迷。几经练习，钱若浩的书法水平有了很大提升，临摹的米体字甚至达到了以假乱真的境界。

钱若浩一直居住在江阴，但因为受父亲的影响，他对故乡锡金具有浓厚的感情。遗憾的是，由于家产和家业的牵累，他不能返回故土。所以，晚年的钱若浩制订了一份宏大的计划，即依照锡金的青山绿水，在江阴修建一座巨大的庄园。几经努力，庄园终于修成。新修成的庄园有嶙峋的假山、清澈的湖水、优美的亭台楼榭、鲜艳的花草树木，仰观有烟云之美，俯瞰有山水之胜，虽不是人间天堂，但也可以算得上江阴少有的胜境。钱若浩为其取了一个优美的名字——“似山居”。似山居是吟诗绘画、品茗会友的好去处。每逢春秋佳日，钱若浩必定会邀请众多好友前来聚会，他们为似山居增色不少，似山居也为他们带来巨大的创作灵感。比如无锡华翼纶、秦炳文曾作《似山居图》，吴县冯桂芬曾作《似山居序》，武进进士李兆洛则作有《似山居记》。

钱若浩有子二人，次子为钱维桢。钱维桢有五个儿子，第四子为钱福炯，钱福炯即钱基博的父亲。钱维桢特别重视教育，希望五个儿子都能考中科举。清穆宗同治六年（1867），长子钱福炜果如父愿，考中举人，这对钱维桢而言是一个莫大的惊喜。

就在获得喜讯的同时，激动万分的钱维桢想起了从小就背过的《三字经》里的一句话：“窦燕山，有义方。教五子，名俱扬。”窦燕山，本名窦禹钧，排行老十，又称窦十郎。他是五代时期后晋人，与钱维桢一样，有五个儿子，而且五个儿子都考中了进士。当时有一位叫冯道的侍郎赠给窦燕山一首诗："燕山窦十郎，教子有义方。灵椿一株老，丹桂五枝芳。"

椿树是父亲的象征；丹桂有人才之意，在这里特指中举之人。父亲虽老，但儿子们个个成才，考取功名，这是对窦燕山的真实写照，也是钱维桢的心愿，更是钱维桢对后代们的期望。冯道诗中的"丹桂"二字在钱维桢心中的分量很重，他特别以此来命名自己的处所，并将"丹桂堂"匾额挂在家里的正堂上。因为这个匾额，自钱维桢以下便是丹桂堂一支。钱基博编纂的《堠山钱氏丹桂堂家谱·世表第二》就从钱维桢开始。依照钱氏宗谱，钱维桢是武肃王钱镠的第三十世孙。钱基博、钱锺书父子则分别为钱镠的第三十二、三十三世孙。从钱镠到钱基博、钱锺书一支的家族世系表可以简述如下：

钱镠——钱元瓘——钱弘俶——钱惟演——钱暄——钱景臻——钱愐——钱端瑀——钱�——钱显祖——钱迪——钱致謁——钱伯一——钱缶——钱均辅——钱祐——钱益——钱继——钱浦——钱琰——钱宪——钱至生——钱如玉——钱法曾——钱林——钱照——钱奎——钱士镜——钱若浩——钱维桢——钱福炯——钱基博——钱锺书

第二章

父祖的行状

绳武堂

第一节　廪贡生钱维桢

一、获取功名

丹桂堂祖钱维桢，字榕初，一字寄香，常州金匮人，清仁宗嘉庆十六年（1811）生于江阴，清德宗光绪十一年（1885）逝于无锡，享年七十五岁。因为父亲钱若浩结交了许多良师益友，所以钱维桢从小就受到良好的教育。他曾师事江阴孝廉陈良显和武进进士李兆洛，与他经常交游的有无锡孝廉张兰阶、善人余治、秀才沈莹、江阴解元郑经、吴县冯桂芬等。据陈三立在《钱榕初先生家传》中评价，在钱维桢的所有师友中，李兆洛和冯桂芬的名声最为显著，其他的则是擅长文学的笃行君子。

李兆洛（1769—1841），字绅绮，更字申耆，晚号养一老人，清代著名的地理学家、文学家和藏书家。他曾担任凤台知县七年，主讲暨阳书院二十多年，精通舆地、考据、训诂之学，著有《养一斋集》《旧言集》，编有《骈体文钞》《历代地理志韵编今释》《历代地理沿革图》《皇朝舆地韵编》等。李兆洛是养一学派的创始人，提倡通学，培养了众多的弟子，徐世昌在《清儒学案》中称他为“异于守一家之言、立帜以为名高者，表章先哲，裁成后进，当世推为通儒”。

冯桂芬（1809—1874），字林一，号景亭，先师从林则徐，后入李鸿章幕府。在思想上，他上承林则徐、魏源，下启康有为、梁启超，既是洋务运动的积极参与者，又是维新变法的重要先导。冯桂芬精通历算、勾股等经世致用之学，先后主讲于金陵、上海、苏州诸书院，借此培养西学人才。他在《校邠庐抗议》一书中提出了“以中国之伦常名教为原本，辅以诸国富强之术”的观点，成为在洋务运动中表达“中体西用”思想的第一人。

钱维桢在与这些名师良友的交游中，博采众长，厚积薄发，学业大进。他很早就通过了童试，并获得金匮县学生员的资格。童试是科举考试的第一道门槛，需要经过县试、府试和院试三级考试。参加过童试的士子称为童生，获取功名的童生称为生员，俗称秀才，具有到府、州、县学学习的资格。其中，在县学的生员叫邑庠生、县学生，在州学的生员称州学生，在府学的生员称郡庠生、府学生。在清代，生员分为三种，即廪生、增生和附生。廪生成绩最优，但名额有限，能享受廪米银或免除丁粮；增生是在廪生的基础上增加的，成绩次于廪生，不能享受廪米银；附生则是才入学的生员，附于廪生和增生之后。

钱维桢考取的是金匮县学的廪生。廪生具有生员的所有待遇。在经济上，能够免除自身的徭役；在政治上，见到知县不用下跪，知县不能对其随意用刑，有公事可当面禀告知县；在地位上，生员高于普通百姓，百姓家有婚丧嫁娶，生员一定是席中的座上宾。因此，生员在传统社会中不仅是一项荣誉，它的背后还存在着非常丰厚的利益。廪生除了具有生员所有的待遇，还有一项增生和附生所没有的权利，那就是为参加童试的考生担保。因为按照要求，参加童试必须有同考的其他五名考生和一名在府、州、县学学习的廪生共同担保，以保证该考生报名表填写的真实性。

府、州、县学是我国传统社会的地方官学，而国子监则是当时的中央官学。中央官学的学生从哪里来？按照规定，有很大一部分来自地方官学。也就是说，府、州、县学的生员有机会进入国子监读书。当然有一个条件，那就是要挑选生员中的成绩或资格优秀者。被选入国子监读书的生员称为贡生，意为向皇帝贡献学生。

在清代，正式贡生依照选拔方式的不同，被分为五种，即岁贡、恩贡、拔贡、副贡、优贡。岁贡每一年或两三年由各省学政选送一次，选送的都是各府、州、县学中年资长久的廪生；恩贡是在皇帝登基或其他庆典举行时进行的加选，算作皇帝的恩典；拔贡由朝廷选拔，乾隆七年（1742）以后十二年举行一次，考核合格后可充任知县、教职；副贡由各省学政选送，选的是落榜乡试考生中的优秀者；优贡三年一选，由学政和督抚共同考核，名额有限，廪生和增生都有资格，但各省选出的优贡只有在进京朝考后才能算作正式优贡。《堠山钱氏丹桂堂家谱》记载，钱维桢是廪贡生，极有可能是通过岁贡选出的。

按照惯例，贡生会加一个“候选训导”的头衔，钱维桢就以廪贡生的身份加候选训导。在清代，教授、学正、教谕分别为府、州、县学的正教官，而训导则为府、州、县学的副教官。《清史稿·职官志三》记载：“儒学：府教授、训导，州学正、训导，县教谕、训导，俱各一人。”在“训导”前面加上“候选”两个字，表明钱维桢已经具备了担任训导的资格，但是还要等待县学的教官缺额，才能成为正式训导。但不幸的是，钱维桢一辈子也没有等到这一天，所以钱基博的《先大父述略》和陈三立的《钱榕初先生家传》只能说钱维桢是候选训导。

二、投身教育

虽然没有成为县学的正式训导，但钱维桢对“化民成俗”的志业始终不曾忘怀。只要有时间，他就刻苦钻研蒙养育才之法。那个时候，中国处于内忧外患之中，清王朝这只千疮百孔的大船在风雨飘摇中艰难航行。两次鸦片战争和太平天国运动使无锡、江阴、南京这片区域遭受了巨大劫难。学校废弃，弦歌之声断绝久矣！钱维桢面对教育的断裂，深为子弟的未来担忧。

俗话说，物以类聚，人以群分。这时，钱维桢的好友余治早已经投入到教化与兴学的事业当中了。余治（1809—1874），字翼廷，号莲村，是晚清著名的慈善家、戏曲作家，人称余善人，死后门人私谥“孝惠先生”。他早年肄业于江阴暨阳书院，五应乡试不中，清文宗咸丰八年（1858）由附生保举训导。在古代，科举每三年举行一次，余治参加了五次乡试，至少用了十几年的时间。可能是因为科举的不顺，五次乡试后，余治决意不再参加科举，并全身心投入到创办义学、编劝善剧和抚恤幼孤的慈善事业中。

其实早在清宣宗道光二十五年（1845），余治就开始担任蒙馆教职。

他发现有许多贫民子弟无力读书，于是就发誓建立义塾，免费供他们读书。此后数年，他履行诺言，四处筹集资金，最终建成了好几处义塾，此举还得到常熟、昭文等县的仿行。

然而，就在余治筹建义塾的同时，一场声势浩大的战争正向无锡、江阴、南京这片土地袭来。道光三十年十二月初十（1851年1月11日）是洪秀全的三十八岁生日，这一天他在金田举行隆重集会，发动起义，史称“金田起义”，轰轰烈烈的太平天国运动爆发。咸丰三年（1853），太平军攻克南京，在此建都，并改南京为天京。咸丰十年（1860），太平军占领常州府，这样包括江阴在内的常州八县（武进、阳湖、无锡、金匮、江阴、宜兴、荆溪、靖江）全部陷落。余治建成的义塾也不幸毁于一旦。

可是，太平天国运动注定是要失败的。定都天京后，以洪秀全为首的太平天国领袖越来越腐化，甚至出现了史称“天京事变”的严重内讧。在清廷地方武装湘军、淮军和外国势力洋枪队的联合绞杀下，太平天国迎来了最后的大溃败。清穆宗同治三年（1864）正月，天京被围；四月初六，常州失陷；四月二十七，洪秀全去世；六月十六，天京陷落。至此，太平天国运动基本告一段落。

从咸丰十年到同治三年，常州府整整四年都在太平天国的统治之下。江阴全县的教育完全瘫痪。驻节江阴的江苏学政衙署也遭到破坏。清朝时，各省都设有提督学政一职，负责主持各府的学务。其中，江苏有一定的特殊性，因为它的学政衙署没有设在省会南京，而是设在江阴。为什么会是这样呢？因为学政的工作非常繁重，三年任期内要至少巡视各府学一次，所以学政衙署的驻地位置就显得非常重要。据光绪年间编纂的《江阴县志》记载："江苏学政建署江阴，地适中也。"

同治四年（1865），江苏学署在江阴重建。同治五年（1866），江苏巡抚丁日昌通令各府、州、县广兴义学。这为余治等再次投身义塾建设提供了良好机会。余治比钱维桢大两岁，钱维桢在余治大哥的带领下也努力投入到这一事业之中。很快，钱维桢就与余治建成了江阴全县义塾，因为有余治先前创办义塾的经验，江阴全县义塾的规制相当完备。

早在道光二十九年（1849），余治曾草编成《得一录》一书，但在刊刻过程中罹于劫火。万幸的是，该书的原始文稿还在。同治八年（1869），重新补辑的《得一录》在江南刊行。《得一录》是一部总汇慈善章程的善书，全书十六卷，其第十卷与义学兴建有着紧密的联系。《得一录》第十卷包括《义学章程》《粤东启蒙义塾规条》《变通小学义塾章程》等部分。在《变通小学义塾章程》部分有《规条》一节，可以说明余治创办义塾的经验，亦可以从中窥探钱维桢与余治制定的江阴全县义塾章程的渊源。《规条》大略如下：

一、立义学向来必多集经费，诚以延师必数年，训徒必数载。

二、是举随地可行，宜择地方公所三数间，中供圣位牌，并择二三老成人料理董事，公请一老成有品、能讲说者为之师。

三、塾中设立册簿一本，登记生徒姓名功课及平时功过。

四、开塾第一日，圣位前宜遵行释菜礼，即可教习拜献之仪。

五、每日入塾，即向圣前焚香叩拜，揖礼先生。

六、塾中功课，未识字者先识方字一二百，即授小学诗。

七、每日天明即起，必先在父母前揖禀，洒扫家庭内外，然后入塾。

八、每旬另以三、八日会讲。

九、子弟入塾例必具贽见之仪。

十、每月必宣讲乡约一次。

以上十条，具体而全面地规定了创办义塾所需的经费、场地、师资、教学、课程和对学生的要求，具有很强的操作性。同治七年（1868），时任巡抚丁日昌到访江阴，并拜访了江阴全县义塾。余治和钱维桢引领丁巡抚参访了义塾的各个角落，并向他介绍了本义塾的章程。而这部章程正是丁日昌考虑良久都不曾考虑完备的东西。听罢有关义塾章程的介绍，他兴奋地向余治、钱维桢两位竖起了大拇指，并激动地对他们说："你们做了我想做但又没有做成的事。章程很全面，我一定要将这部章程推广到全省。"

丁日昌说话算话，江阴全县义塾章程果然被推广到全省。这对于钱维桢是一个巨大的鼓舞。晚年的钱维桢徙归无锡东隆亭，并在这里管理崇仁、向义两所义塾。

据《光绪无锡金匮县志》记载：

崇仁义塾在东隆亭，同治七年知县吴政祥捐廉建，并集捐田九十余亩。

向义义塾在西隆亭，亦吴政祥建。

崇仁、向义两所义塾虽然为无锡知县吴政祥所建，但是其管理者则为钱维桢。钱维桢还参照江阴全县义塾的经验，制定了崇仁、向义义塾章程。因为章程完备、合理，东隆亭百姓对其赞赏有加。基于百姓的信任，这一章程被两所义塾执行了三十年。直到清末新政后的私塾改良运动，崇仁、向义义塾的章程才被废除。

第二节 举人钱福炜

一、考取童生试

钱维桢有两位夫人，原配为江阴贻（yì）封朝议大夫、候选通判、副举人周权的长女周氏。周氏生于嘉庆十八年（1813），逝于咸丰七年（1857），得年四十五岁，育有五子一女。五子分别为长子钱福炜（举人、县学教谕）、次子钱熙元（副举人）、三子钱福熉（郡庠生）、四子钱福炯（附贡生）、幼子钱福炽（国学生），这就是所谓的“丹桂五枝芳”。除了三子钱福熉（1845—1882）“早世不禄，未获底于大成”，幼子钱福炽（1852—1904）“差不欲学，卒以自废”，其他三人都有所成就。钱维桢的继室为江阴籍布政司理问、国学生曹栋的长女曹氏，曹氏生于道光六年（1826），逝于同治三年（1864），得年三十九岁，没有子女。

钱福炜，字葵荪，一字瀛士，道光十六年（1836）生，光绪三十一年

（1905）卒，得年七十岁。俗话说："三岁看小，七岁看老。"钱福炜从小就表现出异于常人的天赋。因为机灵、聪慧，父亲钱维桢很早就把钱福炜送进了学塾。

依照教育规律，学塾有一定的学习次序，即识字、读书、作文，而习字贯穿其中。一个孩子首先要识方字，方字是书写在方块纸上的大字，儿童在刚入学塾的一段时间内需要集中认识一批字，数量在一千左右。认识一千个字后，学习进入第二个阶段——读书。儿童首先要读蒙书，以《三字经》《百家姓》《千字文》《弟子规》《神童诗》为代表，而读这些蒙书也可以算作是从集中识字到正式读书的过渡，因为《三字经》《百家姓》《千字文》也具有识字教材的性质。读完蒙书，学童就要读"四书"，即《大学》《中庸》《论语》《孟子》。"四书"之后是"五经"，包括《诗》《书》《礼》《易》《春秋》。读"五经"之后进入第三个阶段——作文，作文是与读古文同步进行的，古文包括《昭明文选》《东莱博议》《古文观止》《古文辞类纂》《经史百家杂钞》《纲鉴易知录》《史记》《汉书》《资治通鉴》《读史方舆纪要》等。如果要参加科举考试，还要读一些程文墨卷。

而钱福炜似乎超越了学塾的学习次序，经书还没有读完，就已经会写文章。令人惊奇的是，他的文章出奇地好，众人交口称赞。大家都说："小小孩子，写的文章真不一般，字字珠玑，挥洒自如，构思和布局别出心裁，将来这孩子定有大出息。"少年时，钱福炜随祖父钱若浩、父亲钱维桢侨居在江阴。这时，由钱若浩一手设计的"似山居"魅力正盛，文士雅会经常在此举行。十多岁的钱福炜也有幸参与到这些文人的高雅聚会中。俗话说：“初生牛犊不怕虎。”面对大人们的文字游戏，小小年纪的钱福炜对答如流、倚马千言，许多名宿大儒都败在他的手下。因为有这样的经历，能文善写的钱福炜更是声名远扬。

咸丰七年（1857），二十二岁的钱福炜考取童试，补县学生。当时的主考官为江苏学政李联琇（1820—1878）。李联琇，字小湖，道光二十五年（1845）进士，官至大理寺正卿（正三品）。咸丰五年（1855），李联琇外放到江苏担任学政。他是位学识渊博、精通文史的大儒，对名物训诂、典章制度、逸事考证都有独到的见解。其一生著述颇丰，达几十万言。然而，在担任考官时，他有一个特点，那就是所出考题非常古奥，尽显自己在训诂和考证领域的才识。此次担任江苏学政，他出的考题依然如此，以至于众多考生都不能理解他的题意。然而，这并没有难倒读破万卷、腹有诗书的钱福炜。考场上的钱福炜面对这样的题目没有表现出一点儿畏难情绪，只见他才思泉涌、下笔有神，写成的文章诵之如行云流水，听之如金声玉振。最终，他的文章赢得江苏学政李联琇的称赞和赏识。

二、遭遇太平天国运动

咸丰六年（1856），钱福炜娶同县太学生、詹事府主簿施惠的次女施氏为妻。此时，钱福炜虚岁二十一，实际才二十周岁。在现代，二十周岁的男子还不能结婚，然而，在清代却不是这样。《钦定大清通礼》卷二十四《嘉礼》规定：“男年十六以上，女年十四以上，身及主昏者，无期以上服，皆可行。”也就是说，清代的男子只要超过十六岁，女子只要超过十四岁，就可以结婚。钱福炜二十一岁结婚已经算是晚婚了。咸丰九年（1859），钱福炜的长子钱基翰出世。但令人惋惜的是，年仅二十四岁的施氏却因为难产去世。可怜钱基翰刚一出生就失去了母亲。

咸丰七年（1857）冬，母亲周氏病重，钱福炜作为长兄率领众兄弟细心照料，亲侍汤药。然而，老天还是夺走了周氏的生命，此时周氏的幼子钱福炽才刚刚六岁。按照礼制，母亲去世，钱福炜要居家丁忧。此时，太平天国运动的战火已烧到江阴周边。钱福炜知道江阴即将大乱，因此他开始留心经世致用之学，结交乡里豪族以作将来战争的依靠。这也可以算作未雨绸缪吧！

咸丰十年（1860），常州府失陷。钱福炜偕两岁的儿子基翰避难岳父施惠家。而父亲钱维桢则侍奉其父母钱若浩夫妇躲避到继配曹氏江阴云亭镇的家中。钱福炜发现太平军的势力越来越大，岳父家随时有被攻陷的危险。他决定偕岳父母与儿子到继母曹氏家中与父亲会合。然而，会合不久，江阴云亭就被太平军包围了，整整一个大家族被太平军围得水泄不通。战鼓喧天，火光四溢，大家的性命危在旦夕。身为一家之主的钱维桢心急如焚，一袋接着一袋地抽着旱烟。

就在紧急关头，钱福炜的“未雨绸缪”发生了作用。他写了一封求救信，委托下人秘密将其送到江阴豪士黄元昌的手中。黄元昌是钱福炜早前结交的好友，在江阴祝塘练有乡兵。当黄元昌接到钱福炜的求救信后，二话没说，就迅速整队赶往云亭。云亭距江阴三十多里，不到半天的工夫就能走到。如果紧急的话，一个时辰就可以赶到。果然，一个时辰之后，黄元昌带领的乡兵与太平军相遇了。因为所有的乡兵都训练多年，太平军最终被剿灭，云亭之围被解。

因为江阴已经在太平天国的统治之下，钱福炜于是偕岳父母、父亲、继母、祖父母渡长江到泰州租房居住。一段时间后，清军的势力超过太平军。钱福炜的父亲、继母与祖父母寄居到靖江昆罗墅，而岳父母则迁居到宝应杨家田。

虽然暂时安顿下来，但是钱家的灾祸仍然没有断绝。此时，钱福炜的小舅子不幸去世，岳父母家中只剩一个年幼的女儿，这对于年老体衰的岳父母是一个巨大的打击，他们不得不将全家托付于钱福炜。钱福炜虽然是岳父母的外子，而且夫人施氏已经去世，自己的家族也朝不保夕，但是他还是尽了一个女婿应尽的责任。钱福炜一手支撑着钱家，一手扶持着施家，将所有的重担都揽在自己的身上。为了让岳父母心安，他不断到施家省视问候，使岳父母备感温暖。

然而，命运有时就是这样，“按下葫芦又起瓢”。稍后，钱维桢的父亲、钱福炜的祖父钱若浩不幸病逝。惨遭国难与父丧的钱维桢哀毁成病，卧床不起。值此兵乱，钱福炜一家又客居他乡，身上的旅费早已经所剩无几。房租与柴米尚且难挨，哪里还有钱财为父亲钱维桢治病呢？全家再一次陷入生活的苦难中。

最终，还是钱福炜为大家解了围。他做出了一个艰难的决定：当掉已经过世五年的施氏的嫁妆。本来，钱福炜想保存这份嫁妆，因为它是施氏留下来的唯一念想。所以，五年来，施氏的这份嫁妆一直留在钱福炜身边，无论生活多么艰难，他都不曾动用。但是，如今他却要面临两难抉择：一方面是卖掉嫁妆为自己卧病的父亲筹钱延医，另一方面是继续把自己夫人施氏的嫁妆留作念想。他真是左右为难啊！

可是，转念一想，夫人已经去世，而父亲还在，如果不用这份嫁妆换来药物，父亲有可能不久于人世。想到这里，他不再犹豫，他想如果夫人在天之灵有知，也会赞成他的做法的。最终，钱福炜将夫人的嫁妆悉数当掉，用当来的钱为父亲延医购药。后来，在钱福炜和兄弟们的照料下，钱维桢病情逐渐好转，脸色也渐渐红润了。

然而，就在大家都以为万事太平的时候，另一件让人更加痛心的事情发生了。原来，钱维桢的继配曹氏久居靖江，对身在家乡江阴的父母甚是思念。同治三年（1864）的一天，曹氏从靖江渡长江到江阴省亲。不幸的是，她在江边遇到了太平军。一位手无缚鸡之力的弱女子，面对的却是一群面目狰狞的太平军。手持大刀的太平军一步步逼近曹氏，而这个小脚女人却一点儿也迈不开步。就在这千钧一发之际，为保留清白之身的曹氏纵江一跃，投水自沉。

消息传到家中，钱福炜等痛不欲生。此时，父亲钱维桢的病刚刚好转，尚未痊愈。如何向父亲告知继母的死讯呢？钱福炜忍着剧痛，向父亲委婉地报告了继母曹氏的死讯。听罢此言，尚在病中的钱维桢如遭晴天霹雳，急痛攻心，马上昏死过去。几经抢救，慢慢醒来的钱维桢说："我不活了，我要随曹氏而去。"是啊，先遭父丧，又临妻亡，钱维桢哪能受得了啊！

但年过半百的钱维桢还必须坚强地活下去。因为他上有八十岁的老母需要赡养，下有十多岁的幼子需要抚育。因为颠沛流离、操劳过度，仅一年的时间，钱维桢的头发几乎全白了。将近三十岁的钱福炜看在眼里，疼在心上。为了照顾好父亲和祖母，钱福炜经常将自己在县学获得的奖金和在私塾担任先生换来的束脩拿回来补贴家用。在钱福炜的苦心经营下，钱维桢的压力稍稍减轻。

太平天国运动结束后，江阴、无锡、金匮这片区域终于恢复了往日的平静。不幸的是钱维桢、钱福炜在江阴的“似山居”被战火完全摧毁。从钱士镜到钱若浩，再到钱维桢，祖孙三代都寄居在江阴，已经离开家乡无锡、金匮有很长时间了。如今，江阴的家毁掉了，钱维桢提出举家迁回无锡。钱福炜完全支持，并侍奉父亲到了无锡东亭。同治四年（1865），太平天国运动结束后的第二年，岳父母又将自己的三女儿嫁给钱福炜做继室。岳父母为什么要这样？这与战争期间的托付和钱福炜的担当有着直接的关系。

三、中举人

太平天国运动终于结束了，钱福炜又开始了自己的科举仕途。为了实现由秀才到举人再到进士的科举之梦，他又拿起了自己久违的书本——“四书”“五经”，并认真练起了八股文。《学记》曾说：“独学而无友，则孤陋而寡闻。”钱福炜不愿做“独学”者，他喜欢和大家交流学习心得，并经常将自己写成的文章交给好友们评点。因为行文流畅、神与古会，他的文章日益有名。

早在咸丰七年（1857），钱福炜已经考取了童试，这次他要走进乡试的考场。依照清代科举制度，乡试在各省省城的贡院举行。钱福炜是江苏省常州府人，而江苏省的省会在南京。因此，钱福炜要赶往南京参加乡试。乡试是省一级的考试，但是钱福炜参加的乡试却不能以“江苏乡试”

命名。这是为什么呢？原来，早在清圣祖康熙六年（1667）以前，江苏与安徽是一个省，名为“江南省”，所举行的乡试称为“江南乡试”。康熙六年以后，江苏与安徽分治，但是乡试仍然在一起举行，地点在南京的江南贡院，直到光绪三十一年（1905）科举废除为止。例如，中国新文化运动的发起人陈独秀（1879—1942）是安徽怀庆人，他在光绪二十三年（1897）就赶往南京参加丁酉科江南乡试，并考取了举人。

《钦定大清会典事例》卷三百三十《礼部·贡举·乡会试期》规定：“嗣后以子、卯、午、酉年乡试，丑、辰、未、戌年会试。奉特旨开科，则随时定期。”按照这个规定，乡试每三年一科，逢子、卯、午、酉年举行，日期后来也固定下来，为这些年份的八月初九到十五日，因为时值仲秋，所以乡试又被称为“秋闱”。这是正常举行的乡试，是为“正科”。如遇皇帝登基、大婚，太后寿诞等，还有可能举行特别的乡试，称为“恩科”。

然而，钱福炜生在一个多事之秋。咸丰二年（1852）壬子科江南乡试还能在南京如期举行，但从咸丰三年（1853）到同治三年（1864），太平天国占据南京十一年，有乙卯（1855）、戊午（1858）、辛酉（1861）三科考试不能正常举行。这对于有志于科举事业的士子而言是一个巨大的打击。后来，清政府通过合并与补考的方式解决了这一问题。以下是清政府对乙卯、戊午、辛酉三科江南乡试的处理：

咸丰九年（1859）己未恩科并补行乙卯（1855）正科江南乡试（借用浙江贡院）

同治三年（1864）甲子科并补行戊午（1858）科江南乡试（江南

贡院）

同治六年（1867）丁卯科并补行辛酉（1861）科江南乡试（江南贡院）

钱福炜参加的即为同治六年（1867）的江南乡试。乡试的考试内容早有规定。乾隆五十二年（1787），清高宗规定：从第二年起，乡、会试首场考四书文三篇、五言八韵诗一首，第二场试经文五篇，第三场试策问五道。从此该制度成为定制，一直沿用至晚清。钱基博编纂的《堠山钱氏丹桂堂家谱·文征第四》收有钱福炜所著的一部文集——《丹桂堂书屋剩稿》，而这部文集正好收录了他在乡试中的一篇四书文。题目和内容如下：

“子曰：‘修己以敬。’曰：‘如斯而已乎？’曰：‘修己以安人。’曰：‘如斯而已乎？’曰：‘修己以安百姓。’”义

以无倦之旨进贤者，推其功而思其量焉。

夫敬在己而曰修，推之之安人、安百姓，而亦曰修。非无倦于心者，不能也。子言其功而征其量，非欲其无倦于己哉。

且君子主敬之学固合内圣外王，责之于己者也。而要必无倦于心，斯可渐充其量。否则，怠视己而己弛，小视己而己隘。即不怠视己、小视己，不即待治夫！己者反责夫己，则己仍隘、仍弛，此则当以无倦之心争之也。治己之严，施行准焉；推己之极，拟议深焉。无余量者，有余思已。子路问君子，子路固挟一君子之全量而来者也，则欲征君子之全量，盖先验君子之实功。

夫君子亦始终一敬而已矣，亦始终以敬修己而已矣。

古圣王存精一之心。惟此不显亦临，无射亦保者，自毙其寸衷。而日新即为民新之本。

古圣贤严闲存之学。惟此无敢戏豫，无敢驰驱者，自严其动履。而宅心即为宅命之原。

然则不以敬则已，以敬则已未有不修者也。

已未修则已，修已则人与百姓未有不安者也。

岂有明如子路，犹待问哉？而子路果深知夫敬之量不止此也。

一则曰如斯而已乎，再则曰如斯而已乎。若深悟夫敬之量甚宏，而以问之者发之，此则向者请益之素志也。若谓其存见少之意则已拘，而夫子遂实征夫敬之量无可加也。

一则曰修己以安人，再则曰修己以安百姓。欲共明夫敬之量所至而以语之者勉之，此即告以无倦之初衷也。若谓其有抑之之意则已浅，则既为之迂验夫实功，则尤为之实按夫全量。

天下怠惰之萌，多误于自信之念。谓此心可以质大庭而天下之情已隔。谓寸衷可以盟幽独而恫瘝（tōng guān）之念非真。

无他，未明夫敬之分量耳。如明之，则虽百姓之身家无不瞻，百姓之嗜欲无不遂，百姓之好恶无不同，而一为虚悬其诣。有隐然难已于寸衷者，而能弗祇徊于其际哉。学人作辍之念，半中于易视之心，黾皇有或懈，无以餍百族之心思。战兢有或渝，难以靖百年之民命。

无他，未审夫敬之运量耳。如审之，则虽学校有以教百姓，井田有以养百姓，封建有以治百姓，而一为返求诸心。有惕然交儆于内念者，而能勿俯仰于其间哉。告以尧舜犹病，子非欲子路知修己之难，而以无倦行之乎。

这是一篇典型的四书文，题目取自《论语》，前面是破题、承题、起讲、入手，后面是起股、中股、后股和束股，后面的四股分别有两股对偶的文字，合共八股，故四书文又称八股文。因为该篇文章立意鲜明，观点明确，语言流畅，主考官在这篇文章的末尾批了八个大字："戛戛独造，笔力清雄"。这是对钱福炜文章的高度认可。揭榜之后，钱福炜中江南乡试第二十五名举人。他的那篇文章也在士子中间传诵一时。

四、担任县学教谕

中了举人的钱福炜成为钱家的骄傲，几个弟弟考取功名的愿望也更加强烈。钱福炜的父亲钱维桢更是笑得合不拢嘴，因为"丹桂五枝芳"中的一枝已经开花了。钱维桢在心里默念：希望第一枝花越开越旺，也希望下面的四枝花早日开放。

举人的出路就广泛多了，最为重要的是获得了参加会试的机会。然而，进士的名额毕竟有限，许多举人不得不等待机会考取一定级别的官职或教职。《钦定大清会典事例》规定："即按班次，亦可选授知县，补用教职。"教职有三类：一是州学学正和县学教谕；二是八旗宗学和地方官学的教习；三是书院的山长。同治十三年（1874），钱福炜考取了咸安宫教习，咸安宫是清内务府在宫内为上三旗（镶黄、正黄、正白）子弟和景山官学中的优秀者开设的中央官学，《红楼梦》的作者曹雪芹（约1715—约1763）、乾隆朝权臣和珅（1750—1799）小时候都曾在咸安宫就读。

然而，也许是钱福炜太优秀了，还没有入职咸安宫，主考官们就根据清代“议叙”制度联名上书吏部，建议提升钱福炜的官职，荐举他担任知县。吏部经过核实，在主考官的荐举信上批复了两个字：同意。但是，一心想从事教育事业的钱福炜并不为知县一职所动，婉言谢绝了主考官和吏部的美意。

光绪六年（1880），庚辰科会试在京城举行，钱福炜是众多考试的士子之一。不幸的是，他再一次名落孙山。会试结束后，清政府为落第的举人举行了“大挑”。“大挑”是清代专门为屡试不第的举人设置的选官制度，它一方面使很多举人获得了就职的机会，另一方面也弥补了清政府某些职位的空缺。按照规定，“大挑”以近三科以上会试不第者为对象。从同治六年（1867）中举后，钱福炜已经参加了同治七年（1868）戊辰科、同治十年（1871）辛未科、同治十三年（1874）甲戌科、光绪三年（1877）丁丑科以及本次光绪六年（1880）庚辰科五次会试，均以落榜告终，完全符合“大挑”制度的要求。

“大挑”由皇帝钦派王公大臣负责，不用作文，只需要面试。面试的内容也很简单，考官的工作就是通过观察落第举人的体貌特征和言谈举止，结合他们的年龄，对其进行筛选，并对选上的举人划定等次。“大挑”入选者分为两等：一等为年富力强的才俊，以知县、县丞等官职试用；二等为年龄较大、体力较弱的先生，以学正、教谕铨选。光绪六年（1880），钱福炜已经四十五岁，最后获“大挑”二等，以教职归吏部铨选。获此消息，钱福炜非常满意，他对自己的家人说：“我们家的儒者世代相传，教书育人就是我的本职工作。”

然而，心急可吃不了热豆腐，“铨选”是一个相当漫长的过程。在十二年后的光绪十八年（1892），钱福炜终于等来了担任教职的机会，他被选授为苏州府长洲县学教谕。可是，当得到这一喜讯时，他却抑制不住自己的泪水，失声痛哭起来。因为，这一天来得太晚了，父亲钱维桢已经在7年前病逝了，母亲周氏也早在35年前亡故。自己正式获得教职，父母大人已经都看不到了，这成了他的终生遗憾。

钱福炜在长洲县教谕任上待了十多年。在训导士子的时候，他始终奉行一个原则，那就是“先品行，后文艺”。这是典型的儒家思想，《论语》中的“弟子入则孝，出则弟，谨而信，泛爱众，而亲仁。行有余力，则以学文”和“志于道，据于德，依于仁，游于艺”两则都表达了这样的思想。

钱福炜特别重视品行教育，而品行教育的关键在于率先垂范。平日里，他特别讨厌阿谀奉承。没有公事，从来不到县衙走动。这一点和《论语》中提到的澹（tán）台灭明完全一样。澹台灭明是孔子的弟子，比孔子小39岁，位列“七十二贤人”。《论语》对澹台灭明有这样的记载：

> 子游为武城宰。子曰：“女得人焉尔乎？”曰：“有澹台灭明者，行不由径。非公事，未尝至于偃之室也。”

不仅如此，对于县学生的礼物，钱福炜也是公私分明。如果不是自己应得的，他一定会婉言拒绝，并出言相劝。他常对诸生说：“《左传》是你们天天要读的书，里面有一段鲁国大夫臧哀伯规劝鲁桓公的话，我希望你们仔细琢磨。‘国家之败，由官邪也；官之失德，宠赂章也。’国家的衰亡源于官员的邪恶；官员的邪恶、失德来自下属的公然行贿。更何况，作为一名教官，如果接受了你们的贿赂，我哪里还敢厚颜无耻地做你们的老师呢？无义之财和没有道理的馈送，我是万万不能要的。”

光绪三十一年（1905）正月初五是钱福炜的七十岁生日。之前，亲朋好友商量要为他举办一场生日宴会，却遭到了他的拒绝。钱福炜对众人说：“转眼之间，我快要七十岁了，记得先父榕初公在七十岁的时候，曾经写过一副楹联：

七秩敢云稀，胡必开筵，有伤物命；

五子当承志，只宜惜福，永佩家言。

这是先父对我们的教诲，过生日并不重要，立志与惜福才是我们要牢记的啊！我难道要违背先父的教诲，来过这个毫无意义的生日吗？过了这个生日我能安心吗？你们的好意我心领了，还是希望大家不要准备了。”

最终，七十岁生日宴会没有举办。令人想不到的是，钱福炜就在这一年的十月死于长洲县教谕任上。他一生娶有三位夫人，原配施氏，育有钱基翰，不幸难产去世；继室是原配的亲妹妹，生钱基鸿，但也死于难产；第三位夫人是江阴同知衔、岁贡生祝维善的长女祝氏（1848—1918），同治十年（1871）来归，为钱福炜生钱基烈。钱福炜死后，祝氏带领全家老小从长洲返回无锡老家，与钱福炜的二弟钱熙元、四弟钱福焵会合。

第三节　副举人钱熙元

一、从廪贡生到副举人

钱熙元，原名福煐，字颂眉，一字仲眉，道光十七年（1837）生，民国2年（1913）卒，得年七十七岁。他有两位夫人，原配为江阴廪贡生许兆桂的长女许氏，道光十五年（1835）生，同治六年（1867）卒，仅在世三十三年，育有一儿一女，但都不幸夭折。继配是同县县学生诸国培的次女诸氏，道光二十二年（1842）生，民国4年（1915）卒，得年七十四岁，生有钱基康、钱基昌。

钱熙元与父亲钱维桢、大哥钱福炜一样，对科举之路情有独钟。早年，他就进入县学，不久补廪生，最后以廪贡生成为候选训导。听起来，这与他父亲钱维桢走的道路完全一样。自从成为候选训导，钱熙元的前程似乎也停滞了下来。不知考了多少次乡试，他始终与举人无缘。

一次次复习功课与参与乡试，致使他的家庭背负了沉重的生活负担。他不善于生产和经营，平日除了教十几个蒙童读书，便没有别的营生了，蒙童的束脩就成了他仅有的收入来源。但是，蒙馆里的束脩毕竟是有限的，有时候甚至不能养家糊口。清代著名书画家郑板桥（1693—1765）曾经有一段担任塾师的生涯，他在别人的家塾里尝尽了寄人篱下的酸甜苦辣，以至于后来考取了举人、进士之后，依然对这段经历耿耿于怀，他把自己当时的情形都写在了《教馆诗》里：

教馆本来是下流，傍人门户度春秋。

半饥半饱清闲客，无锁无枷自在囚。

课少父兄嫌懒惰，功多子弟结冤仇。

而今幸得青云步，遮却当年一半羞。

这首诗真实地再现了塾师的辛酸生活。那些塾师为了生计，不得不抛妻别子，客走他乡，四处寻找东家，以设课授徒获取微薄的收入。塾师寄居在东家的家中，但是他们的生存环境极为恶劣，不仅吃不饱、穿不暖，而且还要遭受东家的怠慢和学生的抱怨。把塾师作为唯一工作的钱熙元一直经历着这样“半饥半饱”的日子。

同治初年，太平天国运动的作战双方进入激烈交锋阶段。常州失陷后，聘钱熙元做塾师的人家大不如前，他获得的束脩也越来越少。这下该怎么办呢？钱熙元难受极了。为了赚点钱贴补家用，他不得不一改专职塾师的身份，和别人做起了贩布的营生。但是，身穿儒服、不懂经商的他却被老谋深算的市侩小人所骗，不仅没有挣到钱，甚至连本钱都没有收回来。钱熙元在《同治癸亥避寇江北黄桥镇馆于杨氏有感而作》第三首中记述了这件事。该诗云：

生涯抱布枉徒劳，

货殖输人利析毫。（贩布折本）

君子可欺来市侩，（布贩何达卿）

儒冠被误慨吾曹。（吾与曹丙申贩布，为常州朱绍云所愚）

蜃楼过眼知皆幻，

豹雾潜身计自高。（布被骗，绍云逃匿，乃知所言皆虚）

羞涩阮囊嗟更甚，

幡然变计首频搔。

本来就够贫困的了，如今贩布又遭遇了被骗的厄运，这对于钱熙元的家庭无疑是雪上加霜。贩布不成，钱熙元不得不另做打算，一段时间后，他又有了新主意——从军。钱熙元心想："眼下正值战争时期，军营里肯定缺人。自己虽不能到前线打仗，但后勤工作总做得了吧。"带着这样的想法，他到了清政府的地方军营。但是，钱熙元想得太天真了，军营里缺的是血洒疆场的将士，而不是手无缚鸡之力的书生。他被军营直接拒绝了。这对他又是一个很大的打击。钱熙元对自己的前途思考了很长时间，经商不行，参军也不行，看来只能像父亲、大哥一样老实从教了。他又回到了塾师岗位，这次因为有朋友的荐举，他找到了一个好东家，他发誓从今以后一辈子从事教职。钱熙元在《同治癸亥避寇江北黄桥镇馆于杨氏有感而作》第四首中抒发了自己内心的感受，诗中说：

杨意欣逢又一年，

舌耕仍以砚为田。

不才空自投班笔，（投营自效，被摈不收）

有志应先著祖鞭。

砥锷敛锋时待试，

屈刀成镜月同圆。

沧桑世变终将转，

回首何须怅惘然。

太平天国运动后，钱熙元一边设馆授徒，一边继续准备乡试，浮躁的心终于平复下来。光绪十四年（1888）秋，已经五十二岁的钱熙元参加了戊子科江南乡试，此时他已经对江南贡院非常熟悉了，因为来了多少次，恐怕他自己都记不清了。与往次一样，这次他依然没有考中，但值得高兴的是，他被列入了举人副榜。举人副榜是各省的学政在乡试录取名单之外增列的优秀落榜名单，进入举人副榜的士子称为“副举人”，可以直接被推荐到国子监读书，所以又被称为“副榜贡生”“副贡生”。

二、设塾授徒四十多年

自从考取副贡生以后，钱熙元开始从事教育事业。虽然屡试乡试不第，但他已经对制举文有了精深的研究，因此开馆授徒对他而言是一件轻而易举的事。

太平天国运动之后，钱熙元的制举文越来越有名，找他做塾师的人也越来越多。从此之后，小有名气的钱熙元设课授徒四十多年，向他拜师学制举文的人数都数不过来。在钱氏家族中，向他学习作文的就有三弟钱福煐、四弟钱福炯。就是在钱熙元六十多岁的时候，钱福炯的两个儿子钱基博、钱基厚也来向他学习制举文。

同治、光绪之际，科举尚未废除，好多人学习制举文都是为了考取功名，谋求官职。钱基博、钱基厚兄弟学习制举文的时候，维新变法运动已经结束，科举改革的呼声也一浪高过一浪。但就在这时，他们依然开始了制举文的学习。

一天，钱熙元将基博、基厚两位侄子叫到他的屋里，语重心长地告诫他们说："你们开始学习做文章了，但你们知道什么是文章吗？文章是代圣人立言的，岂能仅仅把它当作求取功名利禄的工具呢？学习做文章就是要学习如何为人处世啊！如何学习呢？必须抓住两点：第一是读经，不读经不足以阐述古代先贤的道理；第二是读史，不读史不足以了解社会百态的变化。经与史必须同时兼顾。现在你们还小，不要急着应举。当前的主要任务是将解经、论史与做文章结合起来，一日解经、论史，一日练习做文章。没有解经、论史的积累，文章是写不好的。"

基博、基厚两兄弟特别兴奋，感觉获得了做文章的要领，但是对如何解经、论史依然不太明白，因此继续向二伯父发问。钱熙元见两位侄子发愤好学，于是向他们传授了解经、论史之法。他说："三国时期的魏文帝曹丕在《典论·论文》中有一句话：'盖文章，经国之大业，不朽之盛事。'可见文章在曹丕心目中的位置。经解与史论是要流传后世的，它们通过援古证今，能使当代人和后世人有所启发。经解与史论的作用在于托讽，这就好比诗人们所用的比兴和说书人所说的楔子。"

钱熙元越说越带劲儿，见他们两兄弟听得津津有味，高兴得收不了尾。他说："我再给你们举个例子吧。你们都读过贾谊的《过秦论》，它是后世史论的始祖。在《过秦论·下篇》中，作者上推先王，下述秦衰，还引用了野谚‘前事之不忘，后事之师也’，并最终得出了‘君子为国，观之上古，验之当世，参之人事，察盛衰之理，审权势之宜，去就有序，变化因时，故旷日长久而社稷安矣’的结论。有史实，有评论，史论结合，这就是典型的史论啊！”说到这里，史论的奥秘已经全部道破，基博、基厚两兄弟手舞足蹈，如获至宝，兴奋极了。稍事平复，他们向二伯父稽首感谢，并表示会认真按照二伯父的方法努力学习做文章。

在设课授徒的四十多年里，钱熙元将全部身心扑到教育事业上。设课授徒是他的唯一工作，读书写文章是他的唯一爱好。闲暇时，他经常写一些小诗自我娱乐、抒发情感。他曾说过：“写情志诗，没有必要那么工整，关键是要让读者了解你的情感与为人。”

生活中的钱熙元像魏晋时期的名士一样，不修边幅，放荡不羁，经常光着头、赤着脚在大街上游走。他喜欢和市井中的小贩和佣人为伍。与他们热情攀谈，给他们诵读诗书是他的一大乐事。在与朋友交往时，每谈到高兴处，他都会手舞足蹈地高声诵读自感得意的文章，每读到精彩处，他总是摊开手，并向朋友发问：“你觉得怎么样？”在与朋友交流的整个过程中，他总是胡须飞扬，嘴巴不停，脸色通红，声音激昂，非常激动。

民国2年（1913），不修边幅的钱熙元病逝，族人为他入殓时发现仅有一身旧布袍可用。

第四节 附贡生钱福烔

一、从秀才到附贡生

钱福烔，道光二十九年（1849）七月八日生，因与祖父钱若浩的生日相同，所以长辈援引《左传》“子同生”的事例，为其取字“祖耆”。据《左传》记载：鲁桓公六年（前706）九月丁卯日，鲁桓公的儿子、未来的鲁庄公出生，桓公为其取名“同”，因为他们父子俩的生日都是九月丁卯这一天。刚刚出生的钱福烔额头宽广，下巴丰满，有福旺之相，众人都非常欢喜。小时候的钱福烔也很聪颖，很早就读过“四书”，并且有一项特殊的才能，即对算术非常精通，经常帮父亲打理账目。

但是，聪颖的钱福烔却生在清朝晚期这个乱世当中，太平天国运动阻碍了他的求学梦。当时，他的大哥钱福炜尚未中举，父亲钱维桢也还没有提出“丹桂五枝芳”的宏愿，江阴的“似山居”已经毁于战火，在祖父钱若浩手下兴旺发达的钱氏家族又一次面临破产的危险。他的二哥钱熙元，一个瘦弱的私塾先生，在家庭生存的压力下，不得不做起贩布的生意。

在父亲的命令下，精于珠算的钱福炯停止了读书，开始以学徒的身份跟着师傅做起了生意。他白天跟着师傅出去经商，晚上就寄宿在师傅家，并和师傅之子居住在一起。此时，师傅之子正在学习制举文，因为不开窍，常常受到塾师的批评，他为此也非常沮丧。一天晚上，正在写作业的他又开始叫苦连天了，无所事事而又充满好奇心的钱福炯凑上前去，看他在写什么东西。看过题目后，他自言自语道："这有何难呢？"于是就代师傅的儿子写了一篇文章。

师傅之子将这篇文章交给了塾师。当然，塾师一眼就看出：如此酣畅淋漓、引经据典的文章绝不是自己的弟子写的。在塾师的质询下，他说出了真相，告诉塾师这篇文章乃家里的伙计钱福炯所为。塾师通过这篇文章知道，钱福炯是一颗"读书种子"，将来一定能成大器，学习经商实在是可惜了。放学后，塾师拿着这篇文章来到了钱福炯师傅家中，并把这件事的来龙去脉告诉了他。钱福炯的师傅知道这件事后，也不想耽误钱福炯的前程，于是就将他送回了钱家。

钱维桢知道了钱福炯的才能后，非常高兴，并承认自己之前做出了错误的决定。为了夯实钱福炯学习的基础，父亲安排二儿子钱熙元为钱福炯讲授制举文。同治七年（1868），年仅二十岁的钱福炯考取秀才，并补金匮县学生。这时，距大哥钱福炜考中举人刚过去一年。钱福炯为钱家"丹桂五枝芳"的宏愿又补了一枝。考取了秀才，接下来自然是考举人。但是，他好像比二哥钱熙元的命运还差。钱熙元考了多次乡试，虽然没有考取正榜举人，但最后也得了一个“副举人”的头衔。钱福炯则始终与举人无缘。

光绪二十年（1894）秋，在考举人屡试不中的情况下，钱福炯再次前往南京参加甲午科江南乡试。此时距他考取秀才已经过去了26年。乡试归来，他急切地将自己写的文章草稿交给大哥阅览。已经是长洲县学教谕的钱福炜看罢，对这篇文章大赞不已，说四弟的文章立意高远，与众不同。但不一会儿，喜上眉梢的钱福炜又变得严肃起来。他语重心长地对弟弟说：“四弟，你的文章的确很有特点，但也很容易引起主考官的争议，我猜你这次要么考取解元，要么只能名落孙山。”

钱福炯对大哥的话将信将疑，度日如年般地等待着发榜的时间。这一天终于来了，可钱福炯的名字依然没有出现在题名榜上。到底为什么会这样呢？身为县学教谕的钱福炜通过个人关系向人打听了四弟落榜的原因。原来主试者想把钱福炯拟为解元，但是副主试者认为他写的文章曲高和寡、声稀味淡，竟然主张将他排除在题名榜之外。这样，之前大哥钱福炜的话完全应验了。

考了26年乡试，钱福炯还是个秀才。他怀才不遇的遭遇，外人看了都感到惋惜。当时，清朝政府日益腐败，捐资纳官在官场特别盛行。在钱福炯的身边，已经有许多落第的秀才通过捐纳获取官衔。他的亲朋好友中也有好几位。一天，几个好友到他家做客，并力劝他也捐个贡生。但耿直的钱福炯却和大家有不同的想法。

他推心置腹地对大家说：“我的祖先世代崇尚儒学。先人留给我们的遗产没有别的，仅仅几册破书而已。如果我们这些子孙能够坚持笔耕舌耘，永不断绝，只要免于挨饿、受冻，就感到知足了。至于依靠捐纳侥幸获得升迁，这不是先人的意思啊！”但好友依然固执地说：“捐纳没什么妨害的，西汉的大辞赋家司马相如不也是通过捐资获得官职的吗？”钱福炯大笑道：“但是我不能以自己的‘无才’去学司马相如的‘有才’啊！”众人见钱福炯如此淡泊名利，也就不再说什么了。

钱福炯虽然没有捐纳的意思，但是家人认为，学习了二十多年还没有一个职位，实在是个问题。更何况，太平天国运动结束后，钱家的家业逐渐有了好转，钱福炯还继承了先祖遗留下来的三四十亩田地呢！身为小地主的钱福炯已经积攒了不少财产了。这样，家人为钱福炯捐了附贡生，并以附贡生试用训导。附贡生也是贡生的一种，但它不是正式贡生，而是通过捐款获取的。

二、为善乡里

钱福炯虽然没有考取举人，但却是一个地地道道的小地主和小乡绅。他平生除了读书、习文，就是关心本地的大小事务。在晚清社会，中国不仅面临着“三千年未有之大变局”，也遭遇着各种灾荒与战争，而作为乡绅的钱福炯就在无锡、金匮这片地界发挥着他的本领。

钱福炯热心公益事业，众人称其为“善人”和“刚者”，因为钱福炯不仅有仁爱之心，而且足智多谋、勇气可嘉，为本地百姓做了不少力所能及的事。钱福炯热心公益事业似乎可以追溯到他的父亲钱维桢和大哥钱福炜。因为他们二位不仅从事教化事业，而且对公益事业也是百般关心并付诸行动。

钱维桢与余治兴建义学的事情自不必说，这里还有一件事不得不表。钱维桢在世的时候，众人都知道他是仁厚长者。一天，有人因为财产纠纷闹到太守那里。他知道钱维桢与太守交好，于是就送给他八百金，希望他能够在太守面前替自己说说话。钱维桢心想："我如果不接受他的馈赠，他肯定还会找别人，有可能到最后钱都花光了，财产纠纷仍然没有解决。"于是，钱维桢就笑呵呵地将八百金收了下来。等到替对方解决了争讼，钱维桢又把八百金还给他。钱维桢对那人说："一切事情都会公正解决的，难道非要依靠贿赂吗？"那个人听后感激涕零，逢人就称赞钱维桢的仁厚。

钱福炜对于百姓事务也非常关心，所做的事情有赈灾荒、修宗祠、扩义塾、修桥铺路、掩埋尸骨等。其中有一件事在无锡、金匮、江阴广为传诵。同治十一年（1872），皇帝大婚。按照礼制，江苏要给朝廷捐"贡布"。贡布本来应该由苏州商人承办，可是苏州商人却上下其手，将贡布摊派到无锡、金匮、江阴三县。这对于三县的子民而言是一件极不公平的事情，可是却没有人敢出面反对。这时，与三县有着密切关联的钱福炜出面了，他联合了三县的士绅，集体上书两江总督曾国藩（1811—1872），恳请他"奏撤其事，以恤民艰"，最后摊派到这三县的贡布被撤销，三县百姓对钱福炜无不称赞。

生长在这样的家庭里，钱福炯不会没有触动。身为儿子的钱基博在《先府君行状》中记载了父亲钱福炯经历的许多热心公益而又惊心动魄的故事。某年，江南发生饥荒，米价飙升。钱福炯深感百姓的忧虑，只身前往安徽采办赈米。采办完毕，钱福炯就雇船装米返航。他雇有上百只船，每船都有雇工数人。出发后，上百只船就浩浩荡荡地向南开去，船只首尾相连，犹如“一”字长龙一般。

本来船航行得很顺利，但让人想不到的是，雇工的首领却不是个善茬。只见他数次登上钱福炯所在的船舱，左顾右盼，心神不定，好像在寻找什么东西。钱福炯对这个雇工首领非常厌恶，知道他正在觊觎自己木匣中的钱财。只身一人住在船舱的钱福炯深感事情不妙，可是想个什么办法才能阻止他的阴谋呢？考虑了片刻，钱福炯有了主意。

他下令暂停行船，并召集所有的雇工到他面前会合。钱福炯把木匣子摆到众人面前，高声对他们说：“诸位工友，大家辛苦了。按照惯例，我要等你们把货物送到才发给你们酬金，可是你们实在太辛苦了，我决定提前发给你们。这个木匣子里就是你们的酬金，发完酬金还有剩余，我也全部发给你们，以作你们的奖金。发给你们酬金和奖金后，我就身无分文了，希望你们能够安全将货物运到家。”钱福炯很聪明，他做了一个两全其美的决定，一方面激励了雇工，另一方面又破除了雇工首领的阴谋。

然而，唯利是图、诡计多端的雇工首领岂能善罢甘休呢？这不，他又开始使坏了。眼看船队才到金陵大胜关，可雇工首领却下令停止前进。钱福炯召来雇工首领询问，雇工首领说：“船上没有米了，我们都要断炊了。老爷的米又不让我们吃，兄弟们难道要饿着肚子开船吗？”这时，旁边的雇工也开始闹起来了，上百条船就这样一动不动了。钱福炯知道他之前的奖金没有起作用，这帮雇工和首领终究是一伙儿的。可是，怎样才能制止他们呢？

钱福炯知道这帮雇工不可理喻，要用一两句话去说服他们是不可能的。但他也知道这些人毕竟是小土匪，再蛮横也掀不起多大的波浪。于是，他希望通过消磨时间来平息这件事。首先，钱福炯对这些雇工进行了安抚，给他们急躁的情绪降了降温。接着，钱福炯走进船舱，给雇工首领写了一张纸条，让他转告雇工们，自己要到南京城里去拜访一个朋友。船靠岸了，钱福炯借钱雇了一头小毛驴。雇工们看着钱福炯骑着小毛驴缓缓进城了，一点儿着急的样子都没有，心里越发疑惑起来。

因为对钱福炯的行为不理解，雇工们也不敢轻举妄动了。进城后的钱福炯来到善后局拜访好友，但他并没有告诉好友自己所面临的困难。钱福炯像没事人一样，与好友到钟山拜谒了吴大帝孙权的蒋陵，到傍晚才回来。进入善后局，钱福炯发现雇工首领与四五个雇工凭借纸条到善后局找他，已经等了他半天了。雇工们都希望钱福炯早点回去。

但是，钱福炯生气地说："我只身一个人来到你们的船上，而你们对我却蛮横无理，几乎要把我置于死地。我不想回你们的船上了。"听到这里，雇工们后悔极了，赶紧跪倒在钱福炯的面前，请求他的饶恕。钱福炯担心雇工们使诈，最终拿出了杀手锏——雇券。他对雇工首领说："还认识这个吗？这是咱们开始时就订下的雇券，里面明明白白地写着每个雇工的姓名、乡贯，以及每条船的载运货物和行程多少。如今我把雇券交给善后局的老爷，请他通过关防驿把它寄给无锡的县太爷。你们为非作歹，难道就没有人管了吗？"

几个雇工代表听到这里，无不惊骇，纷纷以头磕地，乞求钱福炯宽恕。雇工首领泪流满面地对钱福炯说："老爷，我再也不敢了，求老爷赶紧回到船上吧。"钱福炯见雇工们已经心服口服，于是就跟雇工们上船去了。最后，赈米安全到达无锡。

光绪二十四年（1898），江南大旱，谷价飞涨，百姓苦不堪言。但幸运的是，各县在丰年已经收购了大量谷物，储存在本县的粮局里。这时，钱福炯建议平价出售粮局里的谷物，并推荐前浙江臬司邹仁浦总管这件事，而自己则主管东城粮局。本来，一切都很顺利。但一天傍晚，东城粮局却出了事。原来有奸人图谋粮局里的谷物，聚集了上百人，气焰嚣张地闯进了粮局。

许多官绅见此阵势仓皇而逃，只有钱福炯一个人留了下来。他端坐在粮局门口，用手捻着胡须，脸上带着微笑，一句话也不说，睁大眼睛观察着眼前发生的一切。众人不知道将会发生什么，都不敢在钱福炯面前造次。

钱福炯默默观察，发现对方的声势越来越衰弱。这时，他已经清楚其中的秃头者就是这批奸人的头领。因为他声音高昂，气势汹汹，众人都听从他的指挥。可是，秃头者的气场在钱福炯面前还是败了下来。钱福炯问明了秃头者的身份并对其好言相劝道："知道我是谁吗？是明白人，就带领众人回去，否则后果你们是清楚的。"秃头者看敌不过钱福炯，便心情沮丧地带着众人离开了。

为了消除后患，钱福炯当天夜里就到县太爷那里汇报。他说："擒贼先擒王，请县太爷命令捕头捉拿秃头者，迟了恐怕会发生变故。"县太爷表示同意。最终，秃头者落网了，一场大难又一次消除了。

事后，有人问钱福炯："钱先生，奸人闯入粮局，您为什么要留在那里，而不是躲开呢？"钱福炯笑着说："我们是人，他们也是人。他们迫不得已做出这样的事，难道心里就不害怕吗？如果我离开了，整个粮局就毁了，我还怎么保全我们的黎民百姓呢？”

钱福炯心系百姓、热心公务的事例还有很多，以上这几件事足以说明他的智慧和仁厚。

三、绳其祖武

太平天国运动后，钱福炯的父亲钱维桢带领钱氏家族回到了祖籍无锡。然而，由于生活拮据，钱家始终没有固定的住所。同治十三年（1874），已过花甲之年的钱维桢写了一篇《似山居花木记》，对昔日生活过的似山居和先父钱若浩深表怀念，并寄望后辈恢张先祖的事业，重建钱氏家族自己的庄园。其文曰：

> 今栖于山者，未必皆知山之乐。使知山之为乐，则居虽无山，无非山也。况兹之发源君、黄（君山、黄山），高丈有咫，树木葱茏，部娄也而松柏载焉。有如吾家之小山，非山而实似山者乎？先君子顾而乐之，故以“似山居”名其居焉。山之巅：大冬青一，大梓一，杪（miǎo）络凌霄，直上云际；古槐一，虫蚀音声，时闻剥啄；梧桐二，女桑一，石榴红一、白一，紫薇一，白薇一，柿一，木瓜一，来禽一，橙、橘各一，古杏一株，俯临峭壁，宛如钓叟之据矶垂纶，风神尤绝；梅、李、桃、棠不计。山之前：为蔬畦，为菊圃，间以秋夏凡卉，香色迎人。山之阴：有堂翼其中庭，梅三，橙一，柑一，金橘二，山茶二，碧桃红、白二，而牡丹、芍药，则骈植阶下，与兰、蕙伍，先君藏息于是。吴子山先辈（育）颜其额曰“天香石砚室”。室旁有曲径，沿山

右，东折，插槿编篱，朱藤作扉。罗列者，老梅红、绿各一，桐一，梨一，垂丝海棠一，铁梗海棠一，来禽一，橘一，柑一，橙一，枇杷二，棱榈一，紫薇一，红薇二，白薇一，千瓣桃四株：红二、白一、玛瑙一。西偏构屋三楹，列架满其中，藏书万卷，是为“似山居”，维桢尝读书于是。侧为“分渔樵半席山房”（家梅溪翁题），北窗洞开，荷风送香，于夏为宜。又有小轩，额曰“望雪”，临窗有腊梅一，红梅一。午窗冬暖，幽香微闻，其间丛生者，蔓生者，为朱藤，为枸杞，为凤尾竹、芭蕉、蕙、建兰、南天烛、玫瑰、木香、蔷薇、月季之属，不能悉数。先君尝指以诏余小子曰：“草木无知者也，尚能当花而花，当实而实，以酬余对植德。可以人而不如草木乎？”今而知先君垂训之意，旨且远也。先君生平工诗善书，性又好客。每春秋佳日，胜侣还至。其尤著者有如江阴季仙九制军芝昌，武进李申耆师兆洛（《养一斋集》有《似山居图记》及赠答先君诸什），吴县冯敬亭官允桂芬（《显志堂集》有《似山居图序》），无锡秦澹如都转缃业、秦谊亭孝廉炳文、张南湖孝廉兰阶（秦谊亭《馆似山居夜话图》，南湖纪以诗，又题《似山居图五古》，俱见《张南湖诗词存》）、沈晴庚秀才莹、家梅溪翁咏，往来过从。汲清泉以煮茗，摘园果以开樽，醉歌警翡翠之巢（翡翠鸟巢于山腰），狂饮邀蟾蜍之魄。不谈时事，不拘细节。而维桢趋跄奉侍，亦得与欢。固一时之胜会也，而今已矣。庚申之夏，先既君避寇道死，而似山居荡于兵火。薪木毁伤，仅有存者。此日旧地重临，追想昔游，忽忽如隔世事。能不为之怆怀兴感也哉？似山居在江阴城内大街，顷余徙家无锡。特记之以诏勉诸儿，尚其光复旧物，恢张前绪，以绳乃祖武乎？此余之所望也。小子勖之。时同治甲戌十月。

光绪十一年（1885），钱维桢带着未竟的家族梦离开了人世。此时，他的三子福煐已经过世；二子熙元以教书为业，不事生产；五子福炽“卒以自废”，因此“光复旧物，恢张前绪”的伟大任务就落在了长子福炜和四子福炯的手里。光绪十八年（1892），钱福炜被选授为长洲县学教谕，举家迁到长洲。到最后能够完成先父遗愿的就剩下钱福炯了。

然而，盖一所几世同堂的大房子并不是那么容易的事，它需要深厚的财富积累。钱维桢去世的第三年，钱福炯的儿子基博、基厚出生。几十年后，钱基厚曾留给世人一本《孙庵年谱》，这本年谱对钱家的租赁和搬迁情况有着详细的记录。以下这个表格就是根据《孙庵年谱》汇总的钱福炯家迁徙表。

表1 钱福炯家迁徙表

时间（年）	福炯年龄（虚岁）	住址
1887	39	无锡城内连元街吴氏寓庐
1892	44	迁中市桥，租吴氏宅
1895	47	迁东门驳岸上，租汤氏宅
1901	53	迁岸桥巷，租秦氏宅
1911	63	迁胡桥，租韩氏宅
1915	67	迁大河上侯氏宅
1919	71	迁流芳声巷，租朱氏宅

光绪中后期，凭借着祖上遗留下来的田产和自己从小学过的经商本事，钱福炯开始带领钱氏家族走上小康之路。民国以降，钱福炯的三子基博、四子基厚都开始外出谋生，这为钱福炯早日实现建设新居的目标提供

了可能。

民国8年（1919）前后，钱福炯觉得积蓄足备，是时间完成先父的遗愿了。这年，他开始授意长子基成购买地产。钱基成选中了七尺场，地处无锡旧城偏西，钱福炯看后非常满意。因为懂得风水、建筑，钱基成还帮父亲筹划了新居的布局和构造。但世事难料，钱基成在民国9年（1920）的秋天先父亲而去了，终年四十八岁。白发人送黑发人，古稀之年的钱福炯老泪纵横。

但是，重建新居的步伐不能停止，因为它不仅是先父钱维桢的梦想，也是整个家族的梦想。钱基成去逝后，钱福炯把建造新居的任务交给了三子钱基博，因为自己年龄大了，很多事已经力不从心。此时，钱基博正在担任江苏省立第三师范学校的国文教员。但是，为了完成祖父的遗愿和父亲的任务，钱基博把所有课外时间都投入到新居的建设当中。在钱基博的操持和督导下，七尺场新居终于在民国12年（1923）建成了。钱家人选择了黄道吉日，在鞭炮声中高高兴兴地搬进了新居。当天，恭贺乔迁之喜的亲朋好友非常多。

七尺场新居占地七百多平方米，是典型的江南民居，钱福炯为新居取了一个响亮的名字“绳武堂”，世人习惯称之为“钱绳武堂”。“绳武堂”出自哪里呢？《诗经·大雅·下武》中有“昭兹来许，绳其祖武”的说法，钱维桢《似山居花木记》中也有“绳乃祖武”的句子。钱福炯仔细拜读过父亲的文集《似山居诗文存》，对“绳乃祖武”的印象极深。所以，钱福炯将七尺场新居命名为“绳武堂”，其意即为继承先人的事业，遵循先人的足迹。钱福炯应该感到欣慰了，因为他在有生之年完成了父亲的遗愿。

绳武堂一共有两进院。第一进正屋七间，中为大厅，大厅外悬有钱基博撰写的楹联：“文采传希白，雄风劲射潮。”上联说的是武肃王钱镠的曾孙、忠逊王钱弘倧的儿子钱易。钱易，字希白，是北宋翰林学士，文采斐然，著述颇丰。下联讲的就是武肃王钱镠在钱塘江指挥将士射潮的故事。全联体现了钱氏家族的文才武略，也以此激励钱氏子孙继续奋斗。

钱绳武堂大门

第一进东三间，最东一间为家祠。钱福炯为家祠集有一联：

秩秩斯干，爰居爰处，莫如兄弟；

明明有祖，有典有则，贻厥子孙。

上联取自《诗经》，下联源自《尚书》，整副楹联的大意是：血脉绵延不断，我们住进新的居所，希望兄弟之间相亲相爱、互帮互助；先祖英明绝伦，为我们留下诗书典则，子孙要永远记住先祖的大恩大德。钱福炯通过楹联表达了对基博、基厚的劝勉，希望他们互尊互爱，诗书传家。

第一进东三间的西偏间和中间一间是钱基博读书和课子教读之所，名为“后东塾”。“后东塾”一名取自晚清陈澧（1810—1882）的《东塾读书记》，因为钱基博对这本书甚为服膺。后来，钱基博的很多著作都是在后东塾完成的。第一进西三间为钱福炯长媳、钱基成遗孀毛氏的居所。从民国12年（1923）绳武堂建成到民国18年（1929）去世，毛氏一直居住在这里。

第二进也有七间，其中最东两间为钱基博夫妇的住所，最西一间是钱福炯的寝室，紧挨钱福炯的寝室则是会客宴居和岁时祭享之所。而最为辉

钱基厚的梅花书房

钱基厚的“孙庵”

后花园

煌的就数居中三间的大厅了，钱福炯题其额曰“绳武堂”，由当时的江苏省省长韩国钧手书。

在绳武堂，悬挂着两副对联。一联为南通著名实业家张謇（1853—1926）所写，全联为：“金匮紬书，有太史子；泰山耸桂，若颍川君。”张謇用这副楹联赞扬了绳武堂的主人钱福炯及钱基博、钱基厚父子像西汉司马谈、司马迁父子一样才高八斗，像东汉陈寔（shí）（104—186或187）及陈元方、陈季方一样德重千斤。

绳武堂的第二副对联仍然为钱福炯所集。该联表达的意思更加明确，可以算作钱福炯对建设新居的回想和对儿子基博、基厚的叮咛。其联曰：

以蔽风雨，曰止曰时，相协厥居，孤始愿不及此

既勤垣墉，爰众爰有，自求多福，汝兄弟好为之

“自求多福”，这是钱福炯对爱子的深切叮咛。是啊，只有不断反

思，不断提升德行，人们才能获得更高的福分。这也许就是“行有不得，反求诸己”的真意吧。

因为子女众多，钱基厚并没有在两进院居住。他在父亲寝室后面开辟了一处空地，并在这里建成了三间二层小楼和若干偏室。钱基厚还给每个房间起了名字，例如，他的二层小楼总称“孙庵”（后来“孙庵”成了他的号），楼下书房叫“慎思斋”，西楼寝室名“岫云一角”。据说如果站在他的寝室向西望去，能够看到惠山一角，环境真可以算作优雅了。

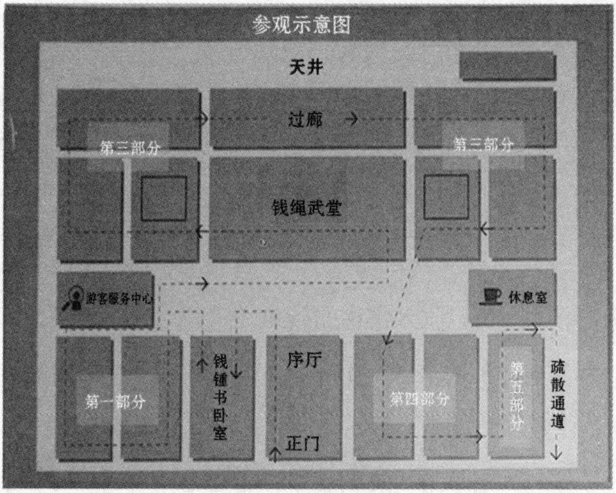

钱锺书故居参观示意图

四、心系宗祠

每一个宗族都是拥有同一祖先、同一地域的人群所组成的命运共同体。宋代以后，人们重视宗族建设，并形成了以修宗谱、建宗祠、置族田、设族塾、立族长、订族规为特征的宗族文化。宗族文化体现着族人对本宗族的文化认同和文化传承，对于延续本宗族的血脉和约束每位族人的行为都有非常重要的作用。

钱氏家族是一个特别庞大的家族，也是一个非常重视编修家谱的家族。据无锡钱氏联谊会副秘书长钱志仁统计，仅《中国家谱综合目录》就收有118种钱氏家谱。钱穆是湖头钱氏文林公一支的后人，其先祖历来热心修谱。他的六世祖钱邵霖（1761—1846）于道光九年（1829）纂修了《钱氏文林公支宗谱》，而他的父亲钱承沛（1866—1906）则在光绪十八年（1892）参与了对《钱氏文林公支宗谱》的续修工作。

钱福炯的祖先及后代对堠山钱氏宗谱或支谱的纂修也非常用心。钱福炯的父亲钱维桢早在同治十三年（1874）就与他人一起完成了《堠山钱氏宗谱》的编修工作。从光绪三十年（1904）到光绪三十三年（1907），钱福炯与二哥钱熙元对《堠山钱氏宗谱》进行了续修。续修的目的在于上敬祖先、下绍族风，所以收入宗谱的族人无贵贱之分，只要是堠山钱氏后人，在宗谱中就会有他的名字。钱福炯还为该谱写了《续修堠山钱氏宗谱序记》。序记曰：

> 先大夫（指钱维桢）以同治甲戌重修堠山宗谱，三十年于兹。炯德薄能鲜，无以恢宏前绪。谨遵先大夫甲戌谱例，订讹补遗，阙疑搜佚。采访不敢不详，记载不敢不慎。谱题“堠山”，示别也，有同县而不同宗者也。

除了修宗谱，钱福炯对钱氏宗祠的建设出力尤多。在钱福炯看来，扩建惠山吴越钱武肃王宗祠是他毕生的志业，这也是教化子孙的重要方式。

在他的主持和推动下，惠山武肃王宗祠日益兴盛起来，有光远楼、见山楼、五王殿等建筑一百多间，还收有铁券图、金涂塔等石刻文物，乾隆御赐碑、匾及祭祀礼器也陈列其中。

但是，见证了武肃王宗祠辉煌的钱福炯却在人生的晚年目睹了它的毁灭。民国13年（1924）秋，因上海控制权之争，江浙战争爆发。战争双方的首领分别为时任江苏督军的直系军阀齐燮元（1885—1946）与时任浙江督军的皖系军阀卢永祥（1867—1933），因此江浙战争又称为齐卢战争。民国13年（1924）9月3日，江苏军队打响了江浙战争的第一枪。至10月12日，卢永祥在闽赣联军和江苏军队的南北夹击下，通电下野，逃往日本。江浙战争以齐燮元的胜利告终。

但齐燮元并没有得意多久。因为江浙战争的爆发早已燃起了第二次直奉战争的导火索。就在齐燮元发动江浙战争的同时，奉系军阀张作霖通电全国，谴责直系攻浙，并以援助卢永祥为名，组成了援卢大军。卢永祥失败后，张作霖大军迅速南下，并与齐燮元的军队在江苏南京一带交火，齐军战败。卢永祥闻此消息，迅速从日本回国。12月11日，北京政府罢免齐燮元江苏督军一职，并任命卢永祥为苏皖宣抚使，由奉军张宗昌（1881—1932）等部护送南下。

民国14年（1925）初，张宗昌欲置齐燮元于死地，率军追击齐军。齐军寡不敌众，迅速向东南逃窜。等抵达无锡时，被溃败逼疯的齐军在无锡城郊展开了疯狂的烧杀抢掠。许多工厂、商店和民居在这场抢掠中被毁。当时，钱福炯与别人在光复门外开有一家当铺——永盛典。不幸的是，永盛典在十来天内被齐军这帮亡命之徒洗劫一空，铺内的金银财宝和绫罗绸毁化为泡影。暮年的钱福炯为此而背上了沉重的债务。

民国14年（1925）1月27日晚，齐燮元残部来到了无锡城外的惠山镇。已经完全没有人性的齐军在惠山横街燃起了大火。大火从街东烧至街西的秦园头门，接着向南蔓延，最终来到了钱氏宗祠。大火烧了一夜，钱福炯用万余金扩建的钱氏宗祠就这样付之一炬了。

第二天，纵火的齐军逃离了无锡。被焚后的钱氏宗祠屋顶散架、一片狼藉。当悲痛欲绝的钱福炯拖着年迈的身体来到惠山时，许多残败的灰烬上还冒着缕缕白烟。钱氏宗祠就这样被毁了，为此而耗尽了财产和光阴的钱福炯不禁黯然神伤，泪如泉涌。这如何对得起列祖列宗呢？这如何让后代慎终追远呢？钱福炯在心里暗暗发誓：只要活着，我就一定想办法重建钱氏宗祠。

齐军败走后，无锡暂时恢复了往日的平静。钱福炯强忍悲痛，一方面收拾永盛典的残局，另一方面与无锡的钱氏子孙筹备钱氏宗祠的重建。但是，身心俱疲的钱福炯再也经不起巨大的操劳，终于在民国14年（1925）的冬天卧床不起。

这年秋天，钱福炯的儿子钱基博应聘到清华学校大学普通部担任国文系教授。当时，钱福炯起居如常，身体虽然衰弱，但并没有大碍。可是到了冬天，钱福炯的身体好像在一瞬间就垮了下来。家人心急如焚，钱福炯也哀叹不已，他知道自己重建祠堂的誓愿不能实现了。

钱福炯虽是个秀才，但对医术也非常精通。年轻时，他读了许多医书，对各种药的药理和药效非常清楚，对针灸和刮痧也非常在行。凭借着对医术的把握，他知道自己已经无药可医了。因为，他的身体虽没有发生病变，但却越来越老化了。民国14年（1925）马上就要过去了。思儿心切的钱福炯强忍体衰，给远在北京的钱基博写了一封家信。信上这样写道：

吾无病而已老，病或可愈，而老不可药也。

收到家信的钱基博心急如焚，祈盼寒假早日到来。这样，他就能返回无锡，在父亲的床前尽孝了。但是，钱基博还是想得太简单了。民国14年（1925）12月，冯玉祥（1882—1948）率领的国民军与奉系军阀的关内势力在京津冀一带展开一场激烈的战争，史称国奉战争。受战事的影响，北京与外界的交通受阻，急切回家的钱基博不得不滞留北京。

民国15年（1926）春，中国大地上正酝酿着一场更大的战争——北伐战争。此时，在清华任教的钱基博坐立不安，因为他担心战事的爆发会再次阻碍他回无锡的路。怀着担忧，钱基博在清华大学度过了春季学期。考试结束，他迫不及待地搭乘海轮回到家乡。

一进家门，钱基博就直奔父亲钱福炯的卧室。此时父亲正躺在床上，钱基博跪在床前，仔细打量父亲。没想到，十个月没见，父亲已经失去了昔日的神采，身体骨瘦如柴。钱基博紧紧攥着老父亲的手，眼里滚动着豆大的泪珠。但是，他不敢失声痛哭，因为他担心自己的哭声会增加父亲的悲痛。

钱福炯虽然羸弱，但在众人面前始终保持乐观的心态，时常对家人说一些安慰和打气的话，有时候甚至谈两三个小时，看起来像正常人一样。一天，钱福炯将钱基博、钱基厚叫到跟前，对他们说：“我们家的永盛典毁了，欠了一屁股债，可是你们都能自立，我了无牵挂了。”

过了一会儿，钱福炯又说道：“我还要嘱咐你们兄弟俩，千万不要因为永盛典毁了，就迁怒齐燮元。历史上比齐燮元残忍的人多了。据我观察，齐燮元其实想在江苏干出一番事业，但他这个人光有志向，没有才干，所以才使我省的百姓遭殃。江浙一战，两省百姓流离失所、不幸战死的何止百万数呢？我们钱家虽然在这场战争中倾家荡产，可是人还在，这难道不是不幸中的万幸吗？”

听了父亲的忠告，钱基博、钱基厚兄弟对齐燮元的怨气稍减。他们知道，家遭此难，与其说是齐燮元的罪责，毋宁说是这个时代的悲哀。军阀混战的局面不变，黎民百姓的痛苦就难减。

民国15年（1926）8月11日，经受磨难的钱福炯在家人的陪伴下离开了人世，终年七十八岁。钱福炯带着遗憾走了，他没有看到钱氏宗祠的复建。因为，钱氏宗祠重新建成已经是两年以后的事了。

第五节 钱福炯之妻孙氏

一、修身

在传统社会，凡是大家族都非常重视婚姻和子嗣，有两三个妻妾、五六个孩子是很正常的事，钱氏家族也不例外。在堠山钱氏丹桂堂一支，钱维桢娶了两房，生了五个儿子；钱福炜有三个夫人，生了四个儿子；钱熙元有两个夫人，生了三男二女。那么钱福炯的婚姻和子嗣情况是怎样的呢？

同治十年（1871），二十三岁的钱福炯与二十岁的孙氏喜结连理。孙氏出生在无锡石塘湾孙家。这个家族在无锡是一个显赫大族，用杨绛的话来说，其可谓“官僚地主，一方之霸”。另外，钱基厚的儿子钱锺汉在《〈无锡光复志〉拾遗》中也说过：“石塘湾的孙家和荡口华家是无锡、金匮两县北乡和南乡两家最大的地主，当时人称‘北孙南华’。”

孙氏的父亲是孙元楷（1819—1868）。他咸丰三年（1853）担任溧水县教谕，后以军功擢升浙江候补知县，诰封奉政大夫，晋赠荣禄大夫。孙元楷生有六男二女，六男分别为孙勋烈（举人）、孙昌烈（监生）、孙鼎烈（进士）、孙振烈（附贡生）、孙学烈（县学生）和孙祖烈（举人），个个都非常有出息。

孙氏是孙元楷的第二个女儿，在八个孩子中排行第七，年龄仅在孙祖烈之上。咸丰二年（1852），她出生在石塘湾这样一个书香世家。虽然没有上过学，但在父亲与几位哥哥的熏陶下，孙氏也拿起了书本。在传统社会，人们奉行一句名训，即“女子无才便是德”。但是，在一个大家族，特别是一个书香世家，读书识字的女子也不在少数，比如：西汉辞赋家司马相如的夫人卓文君，东汉史学家班彪的女儿、班固和班超的妹妹班昭，东汉大文学家蔡邕的女儿蔡文姬，北宋文学家李格非的女儿李清照等。

生长在书香世家的孙氏自幼与古文结缘。她通字义、辨句读、会吟咏，简直就是一个小才女。据孙氏的四哥孙振烈回忆，他的这个二妹天资聪颖，热爱读书，对读书的机会备加珍惜。除了读书，孙氏很早就跟着母亲和嫂嫂学习女红（gōng），几经练习，她也能做一手非常出色的针线活。

古人将妇德、妇言、妇容、妇功作为女性必须遵守的四种规范，简称“四德”。“妇德”指女性的品德修养，在“四德”中处于核心地位；“妇言”指女性的表达能力和知识水平，通过言辞最能了解一位女性的能力；“妇容”指女性的容貌，传统社会要求女性穿戴整齐、动作端庄，处处符合礼制的规定；“妇功”即女性的治家之道。“男主外，女主内”是古代社会的家庭分工，洗衣做饭、缝衣补衫、伺候公婆、抚育婴孩是对一个女性最起码的要求。作为书香门第的孙家对孙氏的教育自然是传统的“四德”教育。通过诵读诗书、学习女红以及与父母哥嫂的相处，十几岁的孙氏已经初步具备了一位传统女性所应具备的全部修养。

二、治家

同治七年（1868），钱福炯与孙氏的四哥孙振烈一同参加了童试，并同时进入了县学。这样一来，钱福炯与孙振烈就成了同窗。也许正是因为这一缘故，钱福炯由此与孙家结缘。同治十年（1871），孙氏嫁给了钱福炯。但钱家与孙家相比，生活水平何止差了百倍！在当时，孙家可是“一方之霸”，而钱家则是一个没落的小地主家庭。经历了这样的落差，孙氏的心里又有怎样的感触呢？

刚开始的失落肯定是有的，但受过“四德”教育的孙氏很快就融入钱氏家族的生活环境当中。她细心操持家业，悉心伺候公爹，与妯娌、小姑和睦相处，深得家人的喜爱。天刚蒙蒙亮，勤劳的孙氏就起床了。她与其他女眷一起打扫卫生、烹饪缝补，忙得不亦乐乎！厨房里的菜香浓郁地飘着，织布房里的织布声有节奏地响着，这一切都如此和谐，孙氏将家治理得井井有条。

除了勤劳，节俭和友善也是孙氏的治家之道。她知道钱家的生活条件不比孙家，在孙家可以戴金银首饰、穿绫罗绸缎、吃大鱼大肉，但嫁到钱家就要按照这里的生活条件来过。她变得更踏实了，在她的卧室里，简单的铺盖洗得干干净净，叠得整整齐齐，虽然朴素，但却让人看得舒心；再看她的衣服，少了做姑娘时的艳丽，多了做媳妇和母亲的典雅，虽然逢年过节才置办这么一套衣服，但她已经非常知足了。

来到钱家十多年，钱家的生活有了一点起色，但孙氏的勤俭之风已经养成了，即使家庭富裕了，她的简朴也从未改变。孙氏不仅自己节俭，而且要求儿子、儿媳也要节俭。如果有谁铺张浪费，孙氏都要严惩不贷，以至于她的孩子们没有人敢在外面乱花一分钱，更别说沾染赌博等不良嗜好了。

虽然很节俭，但是孙氏并不吝啬。几十年来，她一直扶持着亲戚中那些生活困难的人，她量力施舍的行为得到亲戚的普遍赞许。有一天，四哥孙振烈问她："二妹啊，你家的生活并不富裕，为什么还要拿钱来照顾别人呀？"孙氏说道："四哥，我这样做还不是为了孩子吗？我就是希望给孩子们做个榜样，培养他们的善行，并不是通过佛家的'布施'来增加自己的福报啊！"四哥听到这里，终于明白了其中的深意。

孙氏一辈子生了十一个孩子（六男五女），但最后长大成人的只有三个。其他孩子要么还没有满月就夭折了，要么活了不足一年，要么才活到十几岁、二十几岁，这对孙氏是一个莫大的打击。以下这个表格，能使我们对钱福炯与孙氏所生子女的生卒情况有一个大致的了解。

表2 钱福炯、孙氏子女生卒情况一览表

姓名	性别	生年	卒年	享年（虚岁）
钱基成	男	1873	1920	48
钱基治	男	不详	不详	产未弥月而亡
钱基恒	男	1876	1891	16
钱基默	男	不详	不详	1
钱基博	男	1887	1957	71
钱基厚	男	1887	1975	89
钱素琴	女	1881	1902	22
钱素英	女	不详	不详	1
佚名1	女	不详	不详	产未弥月而亡
佚名2	女	不详	不详	产未弥月而亡
钱月琴	女	1889	1901	13

光绪二十七年（1901）春，年仅十三岁的月琴随母亲孙氏到石塘湾姥姥家参加喜宴。可是不知道什么原因，活泼可爱的月琴突然得了重病，死在了二舅孙昌烈家。亲戚的喜宴竟然成了女儿生命的终点，坚强的孙氏无论如何也经受不起这样的打击。

第二年，就在月琴一周年忌日的前五天，已经出落成大姑娘的素琴也因病去世，这对于孙氏来说又是一个晴天霹雳。钱基博在《春申君里墓碣》中，钱基厚在《孙庵年谱》中都对他们的大姐素琴有过回忆。素琴虽然只比基博、基厚兄弟大六岁，但是她却以大姐的身份代母亲照顾幼弟。幼弟困了，有大姐来抱；幼弟哭了，有大姐来哄；幼弟饿了，有大姐来喂。可是，大姐怎么能说走就走了呢？

随着月琴和素琴的相继离世，年届五旬的孙氏愈加悲伤。因为抑郁伤肝，孙氏患上了严重的肝病，经常出现浑身乏力、头昏目眩的症状。随着年龄的增长，孙氏的病也越来越重。宣统二年（1910），年仅五十九岁的孙氏病逝。当时在灵前服孝的仅剩下基成、基博、基厚三子。

第三章

兄弟的人生

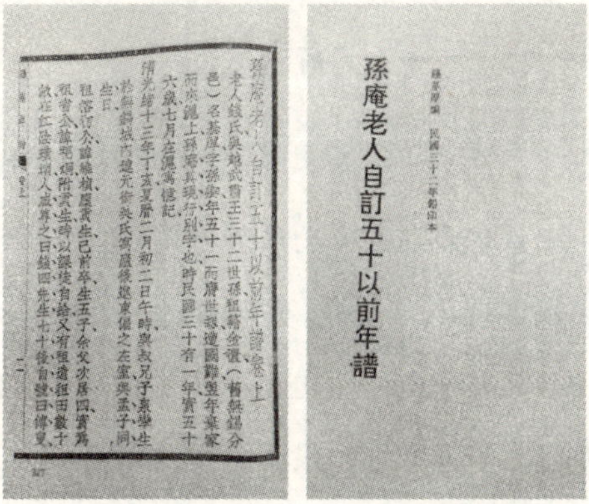
孫庵老人自訂五十以前年譜卷上

孫庵老人自訂五十以前年譜

《孙庵老人自订五十以前年谱》

第一节 长兄钱基成

一、“有志学问”

钱基成，字子兰，同治十三年（1873）生，是钱福炯和孙氏的长子，也是钱基博的长兄。钱基成在钱家的角色与其二伯钱熙元惊人地相似。因为，钱熙元一生以设课授徒为志业，先后教过三弟福煐、四弟福炯以及侄子基博、基厚读书。钱基成的一生也是如此，他的弟弟基博、基厚，以及基博之子锺书、基厚之子锺韩都曾跟随他诵读诗书、学习为文。

钱基成出生在一个社会变革的时代。道光二十年（1840），闭关多年的大清帝国被迫在英国的坚船利炮下打开了国门。此时，“放眼看世界”的林则徐、魏源等对中国与西方的力量对比有了十分清醒的认识，那就是中国的科学技术远远落后于西方。因此，魏源在之后编写的《海国图志》中提出了“师夷长技以制夷”的思想。第二次鸦片战争结束后，以奕䜣

（1833—1898）为代表的洋务派掀起了学习西方以救亡图存的洋务运动。

洋务运动引进了许多西方先进的科技成果，包括纺织、冶金、造船、军工等。同治五年（1866），闽浙总督左宗棠（1812—1885）在福建创建福州船政局。船政局包括三部分：铁厂、船厂和船政学堂。船政学堂是培育船舶制造和驾驶人才的地方，需要学习基础数学、解析几何、微积分、物理、船体制造、蒸汽机制造、地理、航海天文等课程。后来为世人所熟知的邓世昌（1849—1894）、严复（1854—1921）、詹天佑（1861—1919）等就曾在这个船政学堂学习。

受时代风气的影响，钱基成一方面学习“中学”，另一方面学习“西学”，将中、西两种学问有效地结合起来。他认真诵读经书，把“四书”“五经”背诵得滚瓜烂熟，并且颇有收获，这为他日后成为私塾先生奠定了坚实的基础。除了诵读经书，聪明好学的钱基成还研究起了动力、汽机之学，虽然研究得并不深入，但是却自有一番心得。动力、汽机之学是从西方引进的学问，也正是福州船政学堂所教授的学问，钱基成对动力、汽机的研究，在当时的无锡可谓开风气之先。

光绪二十一年（1895），邓世昌甲午殉国后的第二年，满怀报国情怀的钱基成参加了童生试。在院试中，他将自己对动力、汽机之学的学习心得写进考卷中，希望清政府重视西学，通过发展科技走上富国强兵的道路。江苏学政龙湛霖（1837—1905）看了他的试卷，对其赞赏不已，知道钱基成是一位可塑之才，欣然将其补为金匮县学生。

二、“小长辈”

俗话说：“男大当婚，女大当嫁。”博学多才的钱基成很快到了谈婚论嫁的年龄。光绪二十年（1894），在媒人的撮合和父母的操持下，二十二岁的钱基成娶江阴候选直隶州州判毛永龄的次女毛氏为妻。毛家是江阴的富户，毛氏自小受到良好的教育。钱福炯与孙氏对毛氏非常满意，钱基成的才学也得到了毛家的认可。

身为家中的长子，钱基成自然要多为家事操劳。正如钱基博在《春申君里墓碣》中说的那样：“盖教我而佐父之职者，大哥；长我以代母之职者，大姊。”因为对家族的辛苦付出，钱基成竟被家里人称为“小长辈”，以至于在一些事情要处理时，族人并没有去麻烦钱福炯先生，而是直接去找钱基成。钱基成为此处理了许多诸如财产纠纷、兄弟不和、被外姓欺辱之类的事情。

不仅如此，身为“小长辈”的钱基成还为父母分担了许多家务、排解了不少忧愁。光绪年间，钱熙元与钱福炯负责统筹《堠山钱氏宗谱》的续修工作。但是堠山钱氏枝蔓众多，后世之孙何止万数！更何况堠山钱氏的后代已经散居四方，对他们进行采访、核实与编录是何等困难！

但是，传统社会认为“三十年不修谱，谓之不孝”。为了完成父亲的愿望，也为了避免背上不孝的罪名，刚过而立之年的钱基成也加入到了续修宗谱的行列当中。他顶着风雨，冒着严寒，踏遍大江南北，广泛地搜集着堠山钱氏子孙的确切资料。四年之后，《堠山钱氏宗谱》的续修工作终告完成，钱福炯非常满意，钱基成四年的辛苦终于结出了果实。

钱基成在学问上很出众，但在生活上却是一个“笨拙”的人。有个故事最能说明这一点。晚年的孙氏因为病痛，不能亲自到外面购买瓜果蔬菜。但是，她是一个特别注重礼节的人。家里来了客人，点心、瓜果是必须要预备的。这样购买点心、瓜果的事就交给了儿子们。

在三个儿子中，她最信任钱基成。她曾对先生钱福炯说：“阿兰（钱基成）这个孩子最会买东西，买的东西不仅便宜，而且质量也很好。不像博儿（钱基博）、徐儿（钱基厚），他们就不懂‘物力维艰’的道理。”有的时候，钱基成不在家，孙氏不得不把买瓜果的事交给钱基博。可是不管钱基博怎么用心购买，孙氏始终不中意。孙氏对基博说：“博儿，你买的东西不如大哥买的好，而且价格又贵，这是为什么呢？”钱基博感到很委屈，于是便想一探究竟。

有一次，他跟踪大哥去买瓜果，终于明白了事情的原委。原来，大哥买的瓜果一点儿也不便宜，很多时候甚至更贵。但是当他向母亲汇报的时候，就撒谎说很便宜，有的时候自己甚至还要垫付一部分钱。钱基成这样做正是为了让母亲高兴啊。

钱基成与毛氏结婚多年，生了三个女儿，但只有大女儿长大成人。而且自从月琴、素琴去世后，家中已经很久没有添丁进口了，这对于抱孙心切的孙氏是一个沉重的打击。光绪三十三年（1907），年仅二十一岁的钱基博娶金匮县附贡生、候选训导王緽的三女儿王氏为妻。宣统元年（1909），四肢乏力、积郁成疾的孙氏卧床不起。钱家担心孙氏将不久于人世，于是就赶紧给钱基厚结了婚。钱基厚的夫人为金匮县副举人高汝琳的长女高氏。

宣统二年（1910），孙氏病入膏肓。同年春，钱基博的夫人王氏有了身孕。孙氏听到这个消息，备感欣慰。她嘱托儿媳：“你要在卧室安卧，不要乱动，也不要担心我的病。生产时母子平安就是对我最大的安慰。”

同年十月二十日，钱基博与王氏的长子钱锺书出生。当王氏抱着锺书去见婆婆孙氏时，孙氏激动万分。她摸着锺书的头说道：“天啊，我一直盼望媳妇儿给我生个孙子，没想到我的心愿实现了。我终于可以享受儿孙绕膝之喜了。”但令人遗憾的是，孙氏的儿孙绕膝之喜并没有享受多久，就在钱锺书出生后的第23天，卧床数年的孙氏告别了人世。

俗话说：“不孝有三，无后为大。”钱基成和毛氏只有一个女儿，但女儿在传统社会是没有继承权的。所以，为了传宗接代，钱基成必须从家族中过继一个孩子。在丹桂堂钱福炯一支，钱基成是长子，但长孙却是钱基成的侄子、钱基博的长子钱锺书。按照钱氏家族的立嗣惯例，长孙钱锺书被过继给长子钱基成为子。无独有偶，在丹桂堂钱福炜一支，长子钱基翰同样无子，这样钱福炜的长孙、钱基鸿的长子钱锺唐就被过继给钱基翰为子。

第二节 胞弟钱基厚

一、“钱孙卿”的由来

钱基厚

钱基厚与钱基博是孪生子，他仅比钱基博晚出生一会儿而已。当时，钱基恒（字仁卿）尚在人世，所以钱家以基成、基恒、基博、基厚四兄弟排出伯、仲、叔、季。所以，后来钱基博在文章中称钱基厚为“季弟”，而钱基厚则称钱基博为“叔兄”。

在传统社会，一个人有名、字、号等几种称谓。而且，这三者不能乱取，更不能乱叫，必须遵守一定的规矩。一般而言，名是家中长辈取的，供长辈呼唤和个人自谦使用。而字通常到了成年才取，与名有一定的关联，主要供同辈或下属尊称使用。但随着时间的推移，字和名同时由长辈取定的情况也不少见。除了名与字，还有号。号又叫别称、别字、别号，最初的时候只有自号，由自己取定，一般都有一定的寓意在内。到了后来，逐渐出现了别人赠送的赠号，包括尊号、雅号、谥号等。

两位孪生兄弟出生后，父亲钱福炯给三子取名基来，小字博，给幼子取名基复，小字馀。“来”“复”的名字源自《周易·复卦》的“七日来复”，取“二子同来人世”的意思。

但后来，钱福炯又为两兄弟改了名。光绪二十七年（1901），年仅十五岁的基来、基复即将参加童试。父亲为基来改名基博，字子泉，为基复改名基厚，字心卿。以“博”“厚”并称，大概取自北宋大文豪苏轼（1037—1101）《稼说送张琥》中的“博观而约取，厚积而薄发”。

光绪二十八年（1902），基博与基厚又为自己取了号。一天，兄弟两人在一起诵读古书。基博忽然说：“四弟啊，你看，古人都有号，我俩何不效仿古人为自己取一个号呢？”基厚点头同意。一会儿，他又问三哥：“我们按什么标准取呢？”基博说：“我们从古人的名字中选一个和自己的‘字’读音相近的作为号，怎么样？”基厚再次点头，他还补充了一条：“不仅读音相近，而且选的这个古人，我们还要喜欢才行哦！”

钱基博的字是子泉，核心字是“泉”，因此他要找一个和“泉”读音相近的字。钱基厚的字是心卿，核心字是“心”，那么他找的字自然与“心”谐音了。经过反复筛选和琢磨，钱基博选了“潜”字，并把自己的号定为“潜夫”，而钱基厚则选了“孙”字，并以“孙卿”作为自己的号。

潜夫和孙卿分别是两个古人。潜夫是东汉思想家王符的号。王符曾隐居在家，写了三十多篇文章，汇成《潜夫论》，以此针砭时弊，评论时政得失。其文笔犀利，思想深邃，让人读起来酣畅淋漓、拍案叫绝。而钱基博正希望成为这样的人。例如，在为自己取号的同一年，基博与基厚再次去参加童试。在县试环节，钱基博曾作了一篇《李忠定上十事论》（李忠定即宋代抗金名臣李纲，无锡人，忠定是他的谥号），考场上的钱基博借这个题目陈古讽今，洋洋洒洒写了一千几百字。但最终因为文章语言犀利，对当时的时局讽刺太过，钱基博还是落了榜。

孙卿则是大名鼎鼎的荀子（前313—前238）。荀子，名况，时人尊称“卿”，连姓为荀卿。他是战国时期儒家思想的代表人物之一，以“性善论”而闻名于世，曾三次出任稷下学宫的祭酒，并著有《荀子》一书。西汉时期，因避汉宣帝刘询讳，“荀”被改作“孙”，所以荀卿就被称为孙卿。因慕荀子“最为老师”和四处游学的经历，钱基厚将自己的号定为孙卿。由于对“孙卿”一词的热爱，钱基厚在民国元年（1912）正式将自己的字改为“孙卿”，并撰文告诉亲友。晚年的钱基厚自号孙庵老人，并撰成《孙庵年谱》《孙庵私乘》等书。

二、从教学到教务

早年的钱基厚与钱基博可以说是形影不离。他们共同学习、共同应考，经历了一段非常美好的求学时光。光绪三十二年（1906），科举已经废除，二十岁的兄弟俩不得不开始了各自的工作生涯。这年春天，钱基厚到无锡城西小学堂担任副教习，此后他就在这个岗位上干了两年。光绪三十三年（1907），钱基厚还同时担任城内序成小学、南门外伯渎港商余学校的兼课老师。

光绪三十四年（1908），钱基厚前往苏州木渎两等小学堂担任数理教员，这是钱基厚外出工作的开始。光绪二十九年十一月二十六日（1904年1月13日），清政府颁布了《奏定学堂章程》。按照该章程的规定，小学堂被分为初等小学堂和高等小学堂两种。如果两种小学堂合并建立，则叫作两等小学堂。木渎两等小学堂坐落在苏州城西的太湖之滨，由隐居在木渎镇的顾肇熙（1841—1910）发起建立。钱基厚作为该小学堂的数理教员，年薪为300元，另外还有60元的路费补贴。

宣统元年（1909），钱基厚又应无锡著名诗人廉泉（1868—1931）的聘请，到上海曹家渡小万柳堂做家庭教师，为廉泉的三个子侄教授国文和算学。光绪三十二年（1906），廉泉曾在上海集资创办了文明书局，编印了许多新式学堂教科书，出版了不少西方译著，这为钱基厚从事家庭教师工作提供了极大方便。

宣统三年（1911），钱基厚到南京参加了两江政法学堂的招生考试，因成绩优异，被录取到绅班就读。不幸的是，就在放假回家的时候，辛亥革命在武昌爆发，两江政法学堂被迫解散，钱基厚失学了。

民国元年（1912）是中国近代史上具有重要转折意义的一年，这一年对钱基厚同样具有转折意义。因为，在这一年，他开始从一个“四处求教”的教书先生转变为一位参与地方事务的士绅。但是，我们也发现，他在担任士绅的同时，依然和教育保持着紧密的联系，有时甚至还会返回他所钟爱的学校。

民国元年（1912），年仅二十六岁的钱基厚出任无锡教育会会长和县署学务课课长。这是他从事地方教育行政事务的开端。成为学务课课长后，钱基厚对无锡的教育进行了一番细致的规划。他呈请江苏省将无锡县所辖的俟实、东林、周新镇、梅村、石塘湾、涨泾桥六所学校改编为第一至第六高小，添办了乙种师范讲习所，并继续创办女子师范。

民国2年（1913），也许是对教师岗位的留恋，刚刚见识过官场的钱基厚辞掉了县署学务课课长的职务，前往竞志女学担任国文教员。光绪三十一年（1905），竞志女学由无锡籍日本留学生侯鸿鉴（1872—1961）创办。它是江苏省第一所女校，以“勤肃朴洁”为校训，由侯鸿鉴亲自担任校长。宣统二年（1910），钱基博曾出任竞志女学国文教员一职。三年后，弟弟钱基厚担任了同一学校的同一教职。可以猜想，钱基厚在竞志女学的教职与其兄的推荐和提携有着必然的联系。

民国3年（1914），除了继续在竞志女学任课，钱基厚还兼任了县立女子师范学校的国文、历史等课的教学任务。另外，他还为同县秦润之的儿子补习国文。为了教学方便，他特别辑成了教材《文章举隅》《授诸生序》供秦子观摩。

同年，钱基厚再次担任县署学务课课长，后来学务课奉令改称第三科（第一科为总务科，第二科为财务科），钱基厚也就继任第三科科长。从民国3年（1914）到民国10年（1921），钱基厚在无锡县署第三科任上待了八年。这期间，他辅佐了三位县知事，并凭借个人的努力和大家的配合，将无锡的中小学教育带入了迅速发展的机遇期。

除此之外，他还辑印了《锡山学务文牍》（1917）、《学务文牍续编》（1918）、《学务文牍三编》（1919）、《学务文牍四编》（1920）

等有关无锡教育的编年资料，为我们研究当时的无锡教育留下了宝贵档案。因为对地方教育的辛勤付出和优秀的工作业绩，钱基厚在民国5年（1916）获得了中央授予的“嘉禾”勋章。他是地方教育人员中获得“嘉禾”勋章的第一人。

民国10年（1921），钱基厚辞去第三科科长职务，以后不再过问地方教育行政事务。但是，他与教育的缘分并没有终结。例如，民国13年（1924），应实业家荣德生（1876—1952）的聘请，钱基厚开始担任公益工商中学的校长。公益工商中学是荣德生在民国8年（1919）创立的，是一所中等职业学校，招收高小毕业的学生，分工、商两班，学制三年。钱基厚刚一到任，就给全体师生举行了一场极为重要的就职演说。他告诉学生，严格管理、严格训练和严格教育是他作为校长的工作宗旨。

民国16年（1927），公益工商中学停办。荣德生又组织了梅园豁然洞读书处。读书处按照家塾的方式组织，又参考了传统书院的教学模式，开始时分初级和高级两种，学制均为两年，后来只保留了高级部。钱基厚参与了读书处的创建工作，并向荣德生推荐朱梦华主持校务。在读书处创办之初，钱基博每周都会前往那里做精神讲话，并察看读书处的建设情况。因为政务繁忙，钱基厚不得不将读书处的校务工作全部委托给朱梦华。后来，钱基厚的儿子钱锺毅、钱锺鲁等都曾在这里上学。

作为一位小有名气的士绅，钱基厚在很多场合依然保持着书生的本色。钱基博在为钱基厚写的《从政录·序》中就曾记有这样一个故事：孙卿在担任县公署科长的时候，每天都早出晚归，勤于公事。但只要回到家里，他就像换了一个人一样。他首先向父亲请安，接着和夫人聊上几句，聊过之后就一个人待在书房里，直到深夜。他摊开《战国策》《史记》等，高声地诵读。父亲钱福炯听到后，笑呵呵地说："幼子真是一个书痴啊！"钱基博和钱基厚的房子距离不远，钱基博每次午夜醒来，都能听到四弟基厚琅琅的读书声。从晚饭后回家到午夜，钱基厚每天读书四五个小时，用"书痴"形容钱基厚一点儿也不为过。

钱基厚出生在耕读世家，家族历代都有从事教育事业的。钱基厚虽然没有终生从事教育事业，但他对教育的偏好和对读书的兴趣则是一贯的。钱基厚与夫人高氏育有九子二女，除了七子锺达、八子锺篯早殇，其他九个子女都长大成人。钱基厚十分重视家庭教育，对子女的要求非常严格。据张一飞在《我所认识的钱孙老》一文记载，钱基厚的次子钱锺汉在1949年后担任了无锡市的副市长。但是身为副市长的钱锺汉却不敢在父亲面前抽烟。有一天晚上，钱锺汉看电影回来晚了，结果受到了父亲的严厉批评。钱基厚的九个子女都大学毕业，有的前往英国、美国、苏联等国留学。以下表格是钱基厚十一位子女的个人生平和受教育情况。我们从中可以窥出钱基厚对子女教育的重视程度。

表3　钱基厚、高氏子女生卒、教育一览表

姓名	小字	关系	生年	卒年	教育情况
钱锺韩	阿文	长子	1911	2002	毕业于国立交通大学电机工程系，留学英国伦敦大学帝国理工学院
钱锺汉		次子	1912	1982	毕业于私立光华大学国文系
钱锺元		长女	1914	1959	毕业于私立无锡国学专门学校
钱锺毅	阿龙	三子	1916		毕业于国立交通大学土木工程系，留学美国爱华州大学

（续表）

姓名	小字	关系	生年	卒年	教育情况
钱锺仪	阿满	四子	1920	1942	毕业于国立同济大学机械工程系，革命烈士
钱锺鲁	阿多	五子	1922		毕业于国立交通大学机械工程系
钱锺彭	阿九	六子	1925	2000	毕业于国立交通大学机械工程系，1955年派往苏联
钱锺达	阿宁	七子	1928	1934	就读三皇街小学，不幸早殇
钱锺鍐		八子	1930	1932	早殇，未及教育
钱锺华	阿英	次女	1934		毕业于复旦大学理科
钱锺泰	阿安	九子	1935		毕业于南京工程学院电机系，留学苏联列宁格勒加里宁工学院

三、无锡绅界领袖

除了从事教育事业，钱基厚还是一个非常出色的地方乡绅和社会活动家。民国元年（1912），年仅二十六岁的钱基厚当选无锡县临时议事会议员，并开始担任共和党无锡支部的部长。这是他登上无锡政界舞台的开始。此后，他的政治才能和社交能力越来越突出，以至于在无锡乃至江苏都拥有众多的社会头衔。

从民国元年（1912）担任县署学务课课长，到民国10年（1921）辞掉第三科科长，钱基厚将自己的社会事务主要集中在地方教育行政上。民国10年（1921），钱基厚当选江苏省第三届议会议员，这对于扩大他的政治舞台和社交范围具有重要作用。

民国11年（1922）秋，江苏省第三届议会会议在南京召开，议会的主题是审议江苏省当年年度预算案。身为议会议员的钱基厚参加了这次会议。但是，该年的预算案横出枝节，最后竟然将省立各校的教育经费削减并移作议员个人的薪费。第二年1月，江苏省教育行政会议召开。当各位与会校长得知这一消息时，决定函请当时办理教育预算的议员刘文辂到省教育分会当面质询。1月7日，江苏省立各学校校长与议员刘文辂发生口角，进而又发生肢体冲突。

随着冲突的升级，事情越闹越大，南京各校学生罢课，许多校长愤而辞职。教育经费案演变成议会与教育界的矛盾，该事件后来被史家称为“议教风潮”。面对议会与教育界的冲突，江苏省省长韩国钧夹在其中，左右为难。后来因为韩国钧的态度偏向教育界，部分议员甚至逼迫韩国钧辞去省长的职务。钱基厚作为一名明辨是非的议员，对此事背后的利益纠纷看得极为清楚。后来，他与无锡的几位议员联合发表了一份《告省校诸君及议会同人书》，希望大家保持冷静，身为江苏海安人的韩国钧担任江苏省省长是众望所归，恳请大家为“苏人治苏”留一点儿体面。

民国13年（1924）秋，江浙战起。钱基厚被选为无锡临时维持会会

华东军政委员会财政经济委员会第一次全体会议参会人员合影，前排左十一为钱基厚

长和无锡市公所总董，以协助无锡公署维持治安，应付一切。民国14年（1925）初，齐燮元残军败退无锡，对无锡城郊进行了疯狂的抢掠，繁华的无锡危在旦夕。此时，无锡县知事不在城内，上任仅两个月的市公所总董钱基厚成为主管城中事务的核心领导。他下令紧闭城门、布置电网，并与城内各位士绅严防死守，共同护卫无锡城的安全。

其间，齐燮元曾派总参谋长入城，向钱基厚索要十万巨款作为饷银，否则将下令攻城。钱基厚与众位乡绅迫不得已，只得为齐军凑款。两三天后，在乡绅的努力和银行的借贷下，钱基厚为齐军凑足了两万元，并缒（zhuì）下城墙，前往齐军兵营，与齐燮元讨价还价。见到齐燮元时，齐氏傲慢地说："我今天才知道索款的事，没想到我的部下这么不守规矩，否则怎么能发生这样的事情呢！"钱基厚大笑一声，据理力争道："恐怕不是这样的吧？要是没有您的命令，他们怎么敢索要这么多饷银呢？"齐燮元气得无话可说。折腾了几个来回，钱基厚终于将齐军提出的十万元降至两万元。

从民国14年（1925）1月19日到26日，无锡被围困了八天。正巧，1月24日是农历春节，无锡城里的百姓就是在齐军的围困下度过这个难忘的春节的。还好，由于钱基厚的交涉，无锡城避免了一场血光之灾。钱基厚的临危不惧和大智大勇受到了无锡百姓的广泛赞扬。事后，应无锡百姓的热烈请求，江苏省省长韩国钧特书"梓里蒙庥"匾额赠予钱基厚。这是对他挽救无锡于危亡的最高精神奖赏。

民国16年（1927），无锡商民协会成立，钱基厚被推选为执行委员及常务委员。两年后，遵照实业部令，无锡商民协会改组为无锡商会，钱基厚又被选为常务委员，并任商会主席。民国21年（1932），江苏全省商会联合会成立，钱基厚同样被选为执行委员及常务委员，并连任一次。抗日战争胜利后，钱基厚继续担任无锡商会主席。曾当过记者的李伟在《耿介刚直一老人——记钱孙卿》一文中对抗战之后的无锡商会主席钱基厚有一段精彩的描摹：

……

我刚在记者席上坐定，一个身材不高，银髯垂胸，戴眼镜，精神矍铄的老人，快步走上讲台。台下响起一片掌声，就像名旦角上场的一个上场彩。

老人慢悠悠地开始讲话："我不同意县政府交办的征兵征粮议案。"

此语一出，语惊四座。政府席上几个地方官局促不安。

"政府打内战，把重负压在人民身上，征兵征粮一年要有几次，江南再富庶也经不起这样折腾……"

掌声响起，老人的声音更响："这是杀鸡取蛋，这是残民以逞。"最后，他高喊："无锡人要活下去，我坚决反对征兵征粮。"

老人以凛然不可犯的气概走下台来。

"他是谁？"我急忙问。

"商会会长钱孙卿，你都不知道。"那位同业以法国人不知拿破仑的神情嗔怪我。

以后，我在多处场合看到钱孙老，凡是地方公益事业，他都据理力争。他以一片赤忱为桑梓造福。

民国21年（1932），"一·二八事变"在上海爆发，日本帝国主义加快了侵略中国的步伐。钱基厚被推举为无锡国难委员会主席，负责支援前线和收容难民。民国26年（1937），卢沟桥事变爆发，平津危急，华北危急，中华民族危急。当然无锡也非常危急。11月，日军对无锡展开了一次又一次的狂轰滥炸，国民党军队一败涂地、一溃千里，无锡几乎无兵可守。在这种艰难形势下，钱基厚不得不远走他乡。

因为多次遭到敌伪的通缉和诱降，钱基厚只得避难上海租界。和京剧名旦梅兰芳（1894—1961）蓄须明志一样，钱基厚也开始了长达八年的蓄须称老的生活。八年间，被日军拉下水的无锡汉奸们纷纷来到上海，劝钱基厚“出山”，继续主持无锡事务，但都被他严词拒绝了。身为一名耿介刚直的中国人，钱基厚怎么会出卖自己的国家而替日本人卖命呢?

寓居上海期间，钱基厚不仅没有变节，而且还通过组织“江浙同乡聚餐会”联络江南乡绅，为抗日战争和救护难民出谋划策。民国26年（1937），钱基厚将在无锡各界抗敌后援会筹集的两万五千元救国善款全部汇到重庆。民国33年（1944），钱基厚还当选为无锡旅沪同乡会理事长，并为支援抗日战争募得一千万救国公债。

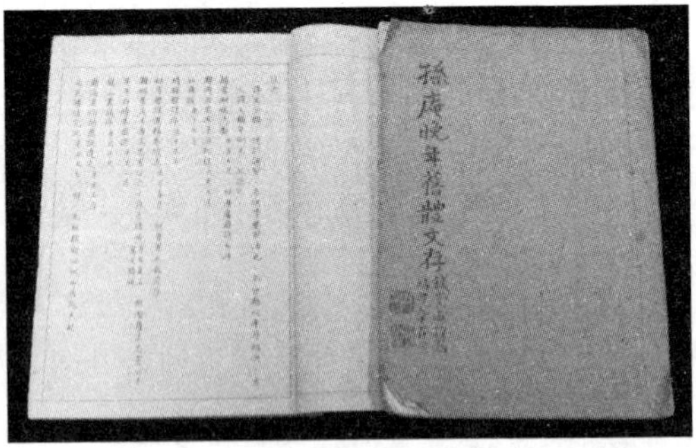

《孙庵晚年旧体文存》

抗日战争胜利后，五十九岁的钱基厚回到无锡。无锡百姓纷纷前往火车站迎接。《钱孙卿：大起大落的人生》一文对这一场景有一段详细的描写：

在一片欢呼声中，钱孙老步出车站，等候在火车站广场的人群，看到的钱孙老依旧是过去的打扮：墨晶眼镜、黑马褂、瓜皮帽、颌下留着长长的鬓须。“孙老，你好！”“孙老，我们想你！”听着这熟悉的吴语乡音，看着这热情似火的场面，年近花甲的钱孙卿心中有暖流有酸楚，他用那高亢的声调不停地说着“乡亲们好”“大家好”。

随后，钱基厚在众人的陪伴下前往孙元良（1901或1904—2007）将军的行署赴宴。赴宴结束，钱基厚回到了阔别八年的绳武堂。八年来，绳武堂一直为日军占领。如今，日军投降，绳武堂也物归原主。钱基厚是一位传统乡绅，从小就受到传统文化的熏陶，对回家的礼仪自然熟稔（rěn）于胸。他首先跪倒在祖宗的牌位面前，虔诚地焚香祭拜，口中向先人叙述着这八年的悲欢离合。第二天，钱基厚又准备好供品，前往城西，给祖坟扫墓。扫完墓，他又登上惠山拜谒钱氏宗祠。八年没有扫过墓，在上海时，他只能遥祭或心祭父母，这是令他最遗憾的事。如今，能够返回故土，钱基厚的心里五味杂陈，既有对美好生活的向往，又有对国家命运的担忧。

钱基厚的担忧来了。民国35年（1946）6月，国共内战再次打响。民国37年（1948）12月，国民党政权崩溃在即，钱基厚发起成立了无锡县人民公私社团联合会，以此作为应变机构，并亲自担任第一召集人。第二年2月，钱基厚与荣德生等人商议，委派自己的次子钱锺汉代表无锡商界前往苏北解放区，与中共有关方面联系，准备迎接无锡解放的具体事务。4月23日，无锡顺利解放。新中国成立后，钱基厚担任苏南行署副主任等职，儿子钱锺汉被任命为无锡市的副市长。

中华人民共和国成立后，钱基厚虽然仍有许多头衔，但是他的影响却越来越弱了。1957年4月27日，中共中央公布了《关于整风运动的指示》，一场声势浩大的整风运动在全国展开。6月，整风运动演变成一场反右斗争，钱基厚在这场斗争中被定性为右派分子。长子钱锺韩受到多次批判；次子钱锺汉也被划为右派分子，其无锡市副市长的职务被撤销；三子钱锺毅同样被划为右派，调到福建等地；六子钱锺彭被扣上“反革命”的帽子，关进了监狱。一个杰出的家族就这样在瞬间遭受了重创。

苏南人民行政公署副主任钱基厚

无锡市副市长钱锺汉

“文化大革命”开始后，无锡市有关部门成立了“七三一专案组”，将钱基厚、钱锺汉等人隔离审查，钱基厚又被扣上了“反革命”的帽子。1975年12月31日，身心受到严重摧残的钱基厚去世，他没有等到沉冤昭雪的那一天。

第四章

钱基博的学习

“四书”“五经”书影

第一节　学习国学

一、读经

光绪十三年（1887）夏历二月初二，钱基博与孪生兄弟钱基厚出生在无锡城内连元街吴氏寓所。而这一天正是孟子（约前372—前289）2259周年诞辰纪念日。因此，家人对这对孪生兄弟寄予了很高的期望。

钱氏家族是一个书香世家，对子孙的家学传承极为重视。基博、基厚出生在这样的家庭中，获得的传统文化教育自然更为系统和扎实。光绪十七年（1891），年仅五岁的兄弟俩开始接受传统的基础教育——蒙学。

在母亲孙氏的亲自督导下，基博、基厚开始学习方字。时间虽有间断，但从清明节到重阳节，仅仅半年的时间，两兄弟已经认识了五百个方字。这年，基博、基厚的二哥基恒十六岁，已经病入膏肓。但只要稍微清醒，就为两个刚刚识字发蒙的弟弟讲字义、正字音。可惜的是，九月二十九日，基恒病逝，基博、基厚失去了一个非常聪明而又疼爱他们的哥哥。

识方字之后，母亲开始为兄弟俩授读《孝经》。第一天，授读的内容是《开宗明义》全章，从“仲尼居”到“聿修厥德”，一共一百二十一个字。母亲刚带读了三遍，兄弟俩居然就会背诵了。后来，母亲又让他们自己读了二十遍。他们用稚嫩的声音读“仲尼居，曾子侍……”，竟然一点磕绊都没有。钱福炯和孙氏非常高兴，认为这两个孩子都有读书的天分。

光绪十八年（1892），父亲钱福炯外出经商，不常在家。钱基成因为二弟基恒的病逝，也不去外面求学了，而是在家陪伴母亲、教育幼弟。因此，读完《孝经》的基博、基厚两兄弟开始在母亲孙氏和大哥基成的教授下，诵读《大学》《中庸》和《论语》。每日饭前，兄弟俩先要读前一天授读的生书两遍，接着依次是带书、带熟书、熟书，每一个程序都要进行两遍，但以最终能够背诵为准。饭后，由母亲和大哥分别督导一个人背诵，如果背诵得不流利，就要重背，直到背诵流利为止。背诵完毕后，兄弟俩又开始了新一节的学习，母亲和大哥为他们领读二十遍，读完后才可以放学。

这样的生活虽然枯燥，却充实而有意义。一个人在儿时的记忆力是最好的。如果能够充分利用这个记忆关键期，那么对这个人学习的提升会起到事半功倍的作用。基博、基厚在随后的几年里，一直按照这个方法学习，诵读的经典也越来越多。

据《孙庵年谱》记载：光绪十九年（1893），兄弟俩诵读了《孟子》《礼记》，由母亲和大哥授读；光绪二十年（1894），兄弟俩续读《礼记》

和《尚书》。由于母亲家事繁重，不能继续教读儿子，所以延请堂兄钱基恩（1872—1940）前来授读。钱基恩，字子绍，是基博、基厚的三伯父钱福熉的长子，主要教授基博，而基厚则继续由大哥基成教授。

光绪二十一年（1895），钱基博仍然跟随堂兄基恩诵读《毛诗》《尔雅》《周易》《周礼》，而基厚则没有读《周礼》。有一次，基成对两个弟弟评价道："我这两个弟弟虽然孪生，但资质略有差异。大概四弟基厚比较聪明，每天能背诵一百一十行，有两千五六百字；而三弟基博则不如基厚记得快，每天只能背八九十行，有一千七八百字的样子。"

也许是因为自己的学生没有基成教得好，钱基恩对钱基博的教育愈加严格。据杨绛在《将饮茶》中说，她的公公、钱锺书的父亲钱基博为此没有少挨鞭子，而且好多次都是"痛打"。这大概就是"恨铁不成钢"的缘故吧！但钱基博对堂兄的痛打没有抱怨，相反还有所领会。有一天，他忽然被钱基恩打得开窍了。

光绪二十二年（1896），堂兄钱基恩到别处设馆，而钱基成也因为准备科举，不再授读。这样，父亲钱福炯又为基博、基厚兄弟延请了同族心葵先生。这时，兄弟俩已经十岁了，"四书"早已经读完，"五经"还剩下一本《春秋》。按照《三字经》中所说的"《孝经》通，四书熟，如六经，始可读。《诗》《书》《易》，《礼》《春秋》，号六经，当讲求"，兄弟俩接下来该进行《春秋》的诵读了。《春秋》有"三传"，即《公羊传》《穀梁传》和《左传》。心葵先生为他们选择了《左传》。

一年后，十一岁的基博、基厚完成了《孝经》、《尔雅》、"四书"、"五经"的诵读，这其实基本上就是"十三经"的范畴。除了文字学和经学，钱基博还把《古文观止》《唐诗三百首》等书自学了一遍，并对《孙子兵法》以及南宋陈亮（1143—1194）的《酌古论》表现出浓厚的兴趣。

二、解经

就在授读《左传》的同时，心葵先生开始为基博、基厚兄弟俩解经。传统社会对经典的学习包括两部分，即读经和解经。一般而言，读经在前，解经在后。这是由儿童的理解程度决定的。当然，如果发蒙晚的话，读经和解经往往也同时进行。兄弟俩开始读经的时候才五岁，当然不适合解经。如今，他们已经十岁了，“四书”“五经”基本读完了，而且理解能力已经有所发展了，父亲钱福炯决定请心葵先生为兄弟俩解经。

“解经”即我们通常所说的“讲书”。清代督学陈彝在李新庵《训学良规》的基础上编订了一部《重订训学良规》。该学规针对蒙学中的先生和蒙童编订了日常行为规范，其中有两条专门说到“讲书”的步骤和注意事项。文字浅显易懂，我们不妨摘录如下：

> 讲书须先讲浅近者，浅近者既明，然后再讲深远者。务须句核字栉，证以日用常行之事，反复譬喻，不可忽略，不可惮烦，并须诱之使问，更因其问而详言之，不可厌其屡渎。初学智慧未开，但可责以用心参究，不可责以一讲即晓。苟能勤问，则其用心可知，若反厌之，则彼必含糊应诺，适以阻其进机矣。
>
> 讲书切不可贪多，多则必不能详，听者反难记易忘。上卷讲毕，不必即讲下卷，宜将上卷令彼覆讲，误解者改正之，不解者再讲，则彼庶有心得，而师之精力亦非虚掷。往往东家以多讲为喜，如此办

法，转嫌迟滞，不知一部“四书”，苟能讲至半部，章章句句，无一字不明白，其余虽未讲过，彼自能有所会通，视贪多者事半而功倍矣。倘遇难解之处，己亦不甚了了者，可直告之。天下事理无穷，先贤尚有不知，何况后学？万不可畏人耻笑，支离其说，自欺以欺人也。

《重订训学良规》告诉我们：讲书应该坚持循序渐进、启发诱导、量力而行和实事求是的原则。学堂的先生要合理安排讲书的进度，从浅处着手，一步一个脚印，对于经典的每个部分都要讲解清楚。此外，讲书的目的是要学生通晓经典的含义，因此先生还要善于调动学生的积极性，要学生主动发问，认真“覆讲”，争取将每个字、每句话、每篇文章都弄懂。最后，虽然身为先生，但对经典肯定有不懂的地方，那么当学生发问的时候，一定要直言相告，千万不能不懂装懂。

心葵先生是一个有经验的塾师，对于讲书的方法了然于胸。他先为基博、基厚兄弟讲授“四书”，第一本当然是儒家的入门经典——《论语》。在这里，我们也发现了一个极为有意思的事情，即钱基厚在《孙庵年谱》中所记述的《论语》学习心得与前文所引的《重订训学良规》虽有不同，但效果却相当一致。我们不妨对两者进行一个对比：

《重订训学良规》：不知一部“四书”，苟能讲至半部，章章句句，无一字不明白，其余虽未讲过，彼自能有所会通，视贪多者事半而功倍矣。

《孙庵年谱》：初讲《论语》半本，后即豁然贯通，不烦言而自解，因从前读已烂熟，所谓熟极生巧也。

以上两文关于“讲书”有一个共同点，那就是虽然讲了一半，但已经全部贯通。《重订训学良规》的教学方法是做好说文解字的基本功，保证不放过每个字、每句话，这样久而久之，自然举一反三，融会贯通。《孙庵年谱》中所记录的讲书效果实际上不单单是心葵先生的讲解带来的，之前五六年的诵读也至关重要。这是一种熟读成诵、熟诵成解、虚心涵泳的教学思路。

正是因为早前诵读的铺垫和心葵先生的启发诱导，基博、基厚兄弟在对经典的理解上很快就入了门。此后两年，心葵先生为兄弟俩解完“四书”，“五经”也粗解一过。这样，蒙学的第二个阶段即告一段落。

三、作文

光绪二十四年（1898），心葵先生到别处就馆，钱福炯没有再为基博、基厚延师。兄弟俩主要以自学为主，当然父亲、大哥、二伯父等对他们的指点也很多。这一年，十二岁的兄弟俩开始学习作文。作文包括很多类型，诸如四书文、策问、史论等。兄弟俩的学习首从史论开始。

史论是一种对历史人物、事迹及现象进行评论的文体，当然离不开史实。为了加强兄弟俩对历史的了解，大哥基成开始在每天傍晚为他们点读《纲鉴易知录》。《纲鉴易知录》由清代学者吴乘权主编，上起三皇五帝，下讫明代灭亡，全书一百零七卷，洋洋洒洒一百八十多万言，对于历朝历代的重大事件、重要人物均有记载，非常适合初学者学习历史。除此之外，父亲钱福炯也开始为兄弟俩指导史论写作，为他们出示题目，并对他们的成稿进行批改。据钱基厚回忆，他们的第一篇史论题目为“孟子见梁惠王论”。

光绪二十五年（1899），基博、基厚开始跟随二伯父钱熙元学习史论。此时的钱熙元已经六十三岁了，但是对于教育这两个十几岁的孪生侄子非常用力。这年二月，钱熙元先为兄弟俩出了第一个题目——“萧何荐韩信论”，其目的就是看看他们的史论基础。钱熙元批改甚勤，指导他们说：“作文一定要找到题目的题眼和主旨。要做到这些，就必须认真思考并有自己的真知灼见。”

为了进一步提升兄弟俩的史论写作水平，钱熙元特别选取自己评点过的《东莱博议》和《历代史论》给他们作为范本。《东莱博议》是南宋吕祖谦（1137—1181）选取《左传》中的史料而写成的史论文集。它是吕祖谦专门为辅助童生写文章而作的，历来为塾师先生们所重视，最后甚至成为学塾里的必修课。

《历代史论》是明代文学家张溥（1602—1641）根据明代以前的正史所写成的史论集。《历代史论》包括《一编》和《二编》两部。《一编》有四卷，一百篇，主要评论西汉至元代的帝王，其第一篇《秦楚之际论》带有总论的性质。《二编》一共十卷，包括两百三十九篇，是为袁枢《通鉴纪事本末》所写的论赞，主要评论从战国到五代后周期间的历史大事。

钱熙元教兄弟俩写文章，不仅是要提升他们的写作水平，还旨在提高他们明辨是非的能力。钱熙元跟他们说：“写史论的目的不只在于写作，还要通过写史论‘援古证今’。我们要重视史论的功用，以古鉴今是我们写史论的宗旨所在。”在二伯父的教导下，兄弟俩的史论水平有了很大提升。据钱基厚回忆，他通过学习史论，学会了明辨事理，以后看问题不再轻易地盲从别人，而且会通过自己的思考去辨别，这就是跟从二伯父学习史论所产生的重要成效。

光绪二十六年（1900），基博、基厚兄弟继续跟随二伯父学习史论，同时还开始断断续续学习八股文。当时，周慕藩先生在无锡教育界很有名。他在家教弟子作文，并且时常组织文人集会，大家一起研讨为文。小小年纪的基博、基厚兄弟也常常到周先生家旁听。后来，因为他们俩经常在现场作文中名列前茅，所以大家都对他们刮目相看。

光绪二十七年（1901），兄弟俩第一次参加童试，但不幸双双落榜。落榜之后，他俩开始跟随同县秀才胡捷三先生学习八股文。然而，光绪二十八年（1902），清政府规定：废除八股，改试策论。因此他们兄弟俩也就终止了八股文的学习。为了提升策论文写作水平，基博、基厚兄弟又开始跟无锡举人许国凤（1876—1963）问业。许国凤首先为他们点读了司马光（1019—1086）的《资治通鉴》、毕沅（1730—1797）的《续资治通鉴》、顾祖禹（1631—1692）的《读史方舆纪要》、陈子龙（1608—1647）等的《皇明经世文编》。兄弟俩还由此涉猎到诸子百家。

据《孙庵年谱》记载，钱基博对以上诸文点读很勤，对古今人物、各地地理以及兵家形势兴趣尤深。因为兴趣使然，每到作文日，他总是第一个跑到学馆领题，而且每次一拿到题目，他都会和先生畅谈起来。交谈时，他条分缕析，纵横古今，抵掌而谈，旁若无人。同辈子弟每见到他这种“不可一世”的样子就禁不住大笑起来，然而先生却对他很欣赏，不仅认真听取他的言论，而且对他写成的文稿每每加以赞许。

同年，兄弟俩再次参加童试，可惜还是名落孙山，因为钱基博的答卷《李忠定上十事论》被视为陈古讽今之作，故此遭到黜落。但许国凤先生对此却极为赞赏，认为该文可以当作名臣奏疏读。光绪二十九年（1903），兄弟俩再次向二伯父钱熙元问业，专攻“四书”“五经”。第二年，兄弟俩前往设在苏州的江苏师范学堂参加考试。江苏师范学堂分为初级和优级，罗振玉（1866—1940）时任该学堂的监督。兄弟俩考的是优级师范，考试的内容是四书义，题目为“亲亲而仁民，仁民而爱物”。罗振玉认为他们对题目的理解远在众人之上，遂通过笔试。但是，在面试环节，兄弟俩无法应对罗振玉的“刁难”，最终还是落榜了。

光绪三十一年（1905），清政府下令废除科举考试。十九岁的基博、基厚结束了学习生涯。第二年，他们走上了各自的工作岗位。

第二节 接触西学

一、博览书报

近代以来，随着国门的被迫打开，中国的教育也开始了近代化的过程。洋务运动时期，新式学堂的兴建，留学生的派遣，对于西学的传入起到了至关重要的作用。但直接参与洋务运动的人毕竟还是少数，时人对西学的了解主要是通过阅读报刊和书籍获取的。中国最早的近代报纸诞生于19世纪初的传教士手中。同治十一年（1972），著名的《申报》在上海创刊，有新闻、评论、文艺和广告四个版面，这为社会大众了解当时的中国变迁提供了很大方便，当然对于西学的发展更有引入与推广之功。

光绪二十四年（1898），康有为（1858—1927）、梁启超（1873—1929）在光绪皇帝的支持下开展了一场旨在救亡图存的维新变法运动。就在这时，十二岁的基博、基厚开始接触西学。钱基博在1952年的思想改造运动中曾写有一份《自我检讨书》，对自己早年阅览的书报有所交代：

> 十二岁，碰到戊戌政变，我父亲要我知道一些时务，定（订）《申报》一份，每日晚上，督我自己用朱笔点报上论说一篇，作余课。偶尔我哥哥（钱基成）借到人家看的《格致新报》，乃上海徐家汇天主教堂发行，月出一期，中间登着严复译的赫胥黎《天演论》。我读了，觉得耳目一新，从此对于生物学、自然科学发生兴趣。

随着对《申报》的关注，钱基博开始知道康有为、梁启超这些维新人士。戊戌政变后，康、梁亡命海外。光绪二十八年（1902），梁启超在日本横滨创办《新民丛报》，对于宣传新思想、新学说着力尤多。此时，对国家大事极为关心的钱基博经常从书铺借报阅览，在一个偶然的机会他看到了这份《新民丛报》。自此之后，他一直关注这份报纸。

通过阅览报刊，钱基博不仅熟悉了报刊的行文风格，而且还萌生了给报刊投稿的想法。就在《新民丛报》创办的这一年，梁启超在该报上连续发表了《地理与文明之关系》《亚洲地理大势论》《欧洲地理大势论》与《中国地理大势论》，系统阐述了地理环境对人类文明的影响。钱基博对以上诸文一一拜读，感触颇深。但是，他对梁的《中国地理大势论》并不满意，于是就结合《读史方舆纪要》，参以己意，写成一篇四万多字的《中国舆地大势论》，投给《新民丛报》。光绪三十一年（1905），钱基博的这篇文章在《新民丛报》第64—67号刊载。与此同时，钱基博还收到梁启超寄给他的信件一封，信中鼓励褒奖之言良多，钱基博自是兴奋不已。

同一年，邓实（1877—1951）主编的《国粹学报》在上海创刊。创刊伊始，《国粹学报》举行了广泛的征文活动。钱基博仿照西晋文学家陆机（261—303）的《文赋》撰成《说文》一篇，发表在《国粹学报》的第十二期。因为获得刊登，钱基博还收到《国粹学报》寄来的奖金二十元。这是他人生中第一次因为撰稿而获得的收入。

虽然《中国舆地大势论》与《说文》两文都与中国的传统教育有着紧密的联系，虽然《国粹学报》的宗旨在于"发明国学，保存国粹"，但钱基博毕竟是依靠报纸这种媒介才接触到西学。以上两文也是钱基博在阅览《申报》《格致新报》《新民丛报》等报纸的基础上发表的。因此，此时的钱基博也在享受着西学所带来的福利。

二、自修算学

光绪二十一年（1895），基博、基厚的大哥基成因为动力、汽机之学，得到江苏学政的赏识，补金匮县学生。父亲钱福炯特别欣慰，经常以此事勉励刚刚九岁的兄弟俩。这是他们接触西方自然之学的开始。光绪二十四年（1898），在大哥的指导下，钱基博看到《格致新报》，从此他开始对自然科学产生了浓厚兴趣。

清末新政后，无锡的新学又得到了进一步发展。据赵利栋在《新政、教育与地方社会的变迁——以1904年无锡毁学案为中心》一文中介绍，从光绪二十四年（1898）到光绪三十一年（1905），无锡城乡共创办新式学堂46所。其中，俟实学堂在光绪二十三年（1897）冬创立，光绪二十四年（1898）正月正式开学，这是我国最早开办的新式学堂之一。学堂设有国文、历史、算学、英文、日文等课，聘请了著名数学家华蘅芳（1833—1902）担任总教习。这对于西学的传播影响深远。

光绪三十年（1904），在无锡城外，由钱庄自发组织的行业协会——钱业公所设立了一个商会。主管华艺三先生在商会创设了演讲会及商课补习学校。基博、基厚兄弟俩经常前往演讲会做义务演讲。因为预拟讲稿，准备充分，兄弟俩经常旁征博引，语惊四座。听讲者大多来自商界，而且经常有一百人以上，他们钦佩这对孪生兄弟的演讲，纷纷称他俩为“小演讲家”。除了演讲，兄弟俩还经常听各位先生为这些商界人士补习西学和讲解社会形势，这对于他们接触西学、了解社会亦有很大作用。

光绪三十一年（1905），科举废除，基博、基厚兄弟决定自修算学。他们以江南制造局编译的《笔算数学》《代数备要》为课本，对每本书都演算了多遍，直到把所有的题目弄懂为止。因为没有老师，兄弟俩只得互相启发。钱基博对算学的兴趣最浓，研究也最用力，除了学习笔算、代数，对于几何、三角函数和微积分都有所研究。因为钱基博读了同乡丁福保（1874—1952）的《东文问答》，略懂一些日语，他还和黄星若合译了一些算学书。

与钱基博不同，钱基厚学完了代数，就终止了算学学习，但是他从算学的学习中获益良多。钱基厚在《孙庵年谱》中说：“余自信一生得力在遇事能耐心苦思，其功夫实自演习算学而来，故尝勖（xù）子弟以学算，谓可锻炼心思，所谓科学头脑愈练愈细，于凡事皆有益也。”从这句话中我们可以得知，钱基厚的九个子女中有七个学了理工科就一点儿也不奇怪了。

同一年，钱基博与同乡吴锦如、沈西苑等人组织起了“理科研究会”。“理科研究会”的前身是“理化研究会”，由杨荫杭（1878—

1945）、蔡文森、顾树屏等留日学生创建，其目的在于研究理化，培养理化人才。值得一提的是，杨绛就是杨荫杭的女儿，后来嫁给了钱基博的长子钱锺书。由此可知，钱锺书与杨绛的缘分从他们的父辈就已经开始了。杨荫杭的妹妹杨荫枌和杨荫榆（1884—1938）都曾到“理化研究会”听过课。

几年后，“理化研究会”为“理科研究会”所取代，钱基博在《自我检讨书》中对这段经历有详细记载：

> 我姊丈曹仁化约我组织理科研究会，纠合同志四十人，每人出会费四十元，买仪器，请讲师。华实孚先生讲物理和化学，顾绍衣先生（中国最早研究飞机制造之一人，民国元年《东方》杂志登载先生飞机论文许多篇）讲动植矿物和地质学，皆吾乡老理化会员。教本用日文本，由会员与讲师协定。物理学即用饭盛挺造本。会员不懂日文者多，指定我译成中文，用誊写版印发。会员年龄最高者，四十多岁。我年最轻，每日听讲六小时。晚上译日文，有时亦替会中同学补习代数几何。原定两年毕业，无寒暑假，后以教材多，延长半年。第一年会费四十元，以买仪器不够，加缴十元，共五十元，我母亲允许替我出。第二年，因为里中大姓薛氏请我教儿子算学，每日下午去三小时，有月薪二十元，我可以自己出了！

引文中的薛氏即无锡巨贾薛南溟（1862—1929），他是中国近代著名思想家、外交家薛福成（1838—1894）的长子。光绪三十二年（1906），钱基博应薛南溟的邀请，为他的长子薛学潜（1894—1969）、次子薛学海（1897—1965）兄弟教授算学，所用课本为陈文所译查理·斯密的《小代数学》。

但是，相对于在国学上的深厚造诣，钱基博的数理水平并没有想象的那样好。据孙伯亮所撰《钱子泉客串数学先生》一文说：“钱先生于数学并无深造，所以教了一年，书本完了，也教不下去了。……盖钱氏于数学系初习，亦为教学相长也。”

因为自修时间短暂，钱基博的数理水平不尽如人意，这是可以理解的。但无论如何，他在会通中西的道路上已经迈出了一步，这也是当时诸多学子们所走的共同之路。令人惊叹的是，钱基博的旧学功底非常扎实，而且从此走上了一条坚守国学、弘扬国学的道路。

第五章

教书的生涯

上海圣约翰大学

第一节　由仕返教

一、入幕陶府

因为《中国舆地大势论》的发表，钱基博的名字在无锡渐渐被人知晓。宣统元年（1909），时任江苏按察使的陶大均读到了《中国舆地大势论》，竟然认为该篇文章有龚定盦行文的影子，赞誉钱基博是“龚定盦复生”。龚定盦何许人也？他就是大名鼎鼎的龚自珍（1792—1841）啊！

龚自珍是清代后期著名的思想家和文学家，能写诗，会著文，其诗文自然清新，但又沉着老练，行文流畅，思想深邃。他那首著名的《己亥杂诗》“九州生气恃风雷，万马齐喑究可哀。我劝天公重抖擞，不拘一格降人才”道出了晚清存在的弊病，至今读起来仍让人振奋不已。

因为对人才的爱惜，陶大均决定破格录用这位既无功名又无学位的年轻人。钱基博年仅二十三岁，就成为高级幕僚，他有什么才能得到了陶大均的赏识呢？钱基博在民国24年（1935）发表在《江苏研究》上的《钱基博自传》给了我们答案。

原来“（陶）大均早年授业遵义黎庶昌，于湘乡曾文正公为再传弟子，好诗古文词，独许基博文，以为得曾文正所谓阳刚之美”。曾文正公即曾国藩，陶大均感慨钱基博为龚自珍再生，又赞许他的文章有曾国藩的阳刚之美，对他的评价可谓非常之高。

钱基博到江西后，陶大均先是委托他筹办司法改良。然而司法系统积弊已久，再加上钱基博是初来乍到，他面临着巨大的难题。钱基博在《自我检讨书》中对这段艰苦经历进行了详细叙述，我们不妨摘录如下：

> 我一到江西，看到司法黑暗重重，省城发审局刑讯酷滥，按察使署刑幕把持。首席刑名老夫子陈绳之，徒子法孙，播满全省各府各县，府县人民上控案件，几乎无一准理。陈绳之因为我是陶臬台特约的人，我一到，就来看我，和我商量，案件不必过问，各府县一年四季节敬（端阳、中秋、冬至和年）分我一股。我当然坚决谢绝，恐怕他心里不安，告诉他说：“陶臬台约我来，商量司法制度如何改良，并不要我问案件。老夫子办案辛苦，府县节敬，我如何敢分润！”因就和他商量司法改良，当前从两事下手：一停止刑讯，一改良监狱。他一口赞成。我草一说帖，上陶臬台。陶臬台人极长厚，认为积习难挽，然而不妨做，商量先从省城发审局做起。发审局提调，系南昌府知府，我的说帖交去，发审委员一致说：“刑讯停止，供无从问！”此事就告搁浅。我退一步，想专致力于监狱改良。我去看新建县知县梁某，请求参观

监狱。梁知县陪我巡视一周，当然讲不到“人道”两字，然而我觉得走马看花，不够了解。因为典史管监狱，典史衙门就在监狱旁面（边），自己请示在典史衙门住半月，吊（调）监犯名册，每日提一两个犯人，随便闲话。梁知县大不安，早晚来陪我谈天。我劝他回去治事，不要陪我。他不肯。住了三天，我也只得回去，见陶臬台，告以所见。陶臬台恻然，筹了一笔经费，并且自己捐了二百两银子，交梁知县，吩咐他：“监房一律离地五尺，铺木板。监沟淤塞，一律开浚。”梁知县亦捐了俸银一百两。又指名一老犯人，所谓龙头者，以其虐待同犯，无恶不作。由梁知县自己吊案重办，详申改徒为流，充军到边远地方去，讲不到如何改良，暂时减少一些残酷。

钱基博的刑讯改良失败了，但是监狱改良因得到陶大均的支持而获得了初步的成功。从这里我们可以看出陶大均对钱基博的呵护和提携。钱基博的工作不算繁重，但是俸禄并不少，每月白银百两，这又可以看出陶大均对他的爱惜和赏识。

薪水虽然很高，但是钱基博每月都将薪水悉数寄给父亲。尽管衣服一直很破旧，他都没有花钱买件新的。见此情况，他的同僚们有的很诧异，有的则赞他是“少年老成”。钱基博回应道：“我是一个年轻人，也是一个有欲望的人。如果稍一放纵，恐怕永无回头之日。今天，我的手中不留一钱，为的就是约束自己，不至于胡作非为、放荡不羁。”

司法改良后，钱基博成了陶大均的师爷。但在陶府做师爷，自然免不了各种应酬。当时同僚之间请客吃饭，经常会邀若干舞女自娱。有的时候男女同席，互斟互饮，场面相当不雅。钱基博对这种情形非常反感，每次他都捧杯微饮，神志湛然。

有一天晚上，时至午夜，钱基博睡得正酣，陶大均派人召他相见。钱基博以为有要事相商，于是赶紧披上衣服，赶往陶宅。到了那里，他发现陶大均的屋中坐着许多同僚，还有许多花枝招展的姑娘。陶大均指着其中最漂亮的一个说：“这位是妓院的头牌，人见人爱，白天叫来恐有人说闲话，所以晚上才敢叫来，她相貌极美，你不能不过来看看。”陶大均说完了，钱基博仍旧无动于衷。过了一会儿，钱基博回应道：“老爷，您是堂堂御史，监管着地方百官，如今却在深更半夜里暗自召妓，您的行为如何能服众呢？”说完这句话，钱基博就离开了陶府，同僚们都笑他是一个迂腐的书呆子。陶大均喝止了大家的嘲笑，说：“别这样笑他，他是一个真君子啊！”

第二天，陶大均见到钱基博，赶紧给这位年轻人深深作了一揖。陶大均激动地说道：“你是个年轻人，竟能做到这般，真令我们这些老年人惭愧不如啊！除了你，没有人敢在我面前发诤言；但除了我，恐怕也没有人能容你。”从此之后，陶大均不再召妓，对钱基博也更加信任。

不幸的是，宣统二年（1910）秋，对钱基博有知遇之恩的陶大均死在江西任上。不久，钱基博母亲的病情也愈加严重。钱基博便辞职回家，照顾母亲。

二、任职锡金军政分府

从江西回到无锡，钱基博一方面照顾病重的母亲，一方面应侯鸿鉴的邀请，担任竞志女学的国文教员。但是，钱基博在竞志女学的时间较短，因为当时的境况相当糟糕。统治中国二百多年的清王朝正处在风雨飘摇中，随时都有被推翻的可能。

宣统三年（1911），中国大地上战火弥漫。10月10日，革命党人在武昌发动起义，轰轰烈烈的辛亥革命爆发了。11月6日，无锡光复，锡金军政分府成立，钱基博参加了军政分府。因为文笔好，所以分府任命他全面负责重要文告和碑记的起草工作。当时，无锡的革命取得了成功，但是周围地区却很久都不见动静。时任锡金军政分府总理的秦毓鎏（1880—1937）发觉到形势的严峻性，于是就委托钱基博写一篇檄文，传布四方，以得到周围地区的响应。就这样，一篇气势磅礴的檄文《无锡光复志》在钱基博的笔端迅速完成了。其檄曰：

> 伪朝爱新觉罗氏者，鞑鞨遗胤，肃慎余苗。邑殊礼仪之邦，人习贪残之性。……毓鎏等谊在敌忾，志深同仇。因天下之失望，遂海内之归心。爰举义旗，以应汉帜。不敢贻赴义不勇之诮，容忍忘有善欲谐之箴。……愿与诸君痛饮，幕府流连，毋贻后至之讥，致昧先几之兆。无任延颈待命之至。此檄。

锡金军政分府虽然斗志昂扬，可是在革命中造的孽也不少。久而久之，钱基博觉得革命之后的无锡不仅没有改善，反而更加糟糕。他在《自我检讨书》中回忆说：

> 军政分府，最初我亦参与，然而革命虽然成功，人民并未抬头。一般国民党员，暴横不可以理喻，视旧式绅士尤利害。所有地方恶霸，争求入党，作护身符。一隶党籍，言出为宪。良懦惕息，恶霸抬头。军政分府的人，欲得党为后盾，又多借手假公济私，勾结一起。我一开

口，就说我不革命，乃至杀人不问供。以农民抗租，派兵下乡，强奸女人。乡民抬妇女入城喊冤；兵士拦阻不许。我入告秦效鲁，虽派军法官出验妇女的伤，而以革命军人，含糊了事。秦效鲁疑我别有作用，私交因此大伤。我就自动退出，觉得革命并没有像理想一般美妙。革命仍是以大众的痛苦造就少数人的地位与煊赫。革命情绪，从此萎缩。我回家，闭了门，研究法国革命史，要看看外国人的革命，比我们怎样。乃知道一样糟。法兰西文明古国，并不高明许多。我的弟弟得到两大册张东荪译的《美国平民政治》，送给我看，其中说到美国选举费消耗之庞大。民主共和两党争取选举之花样百出，大资本家之把持选举，非法图利，以及地方小政客之贩卖选民，弋取一官半职。举国若狂，真非我一个中国人所能想象。然而中国命则革了，民主前途，实不能想。

民国元年（1912）春，钱基博的同乡顾忠琛（1880—1945）担任了苏浙援淮军总司令。受顾忠琛的邀请，钱基博就任该司令部军佐（代理副军官）。后来，南北议和成功，钱基博继任陆军第十六师中校参谋，随司令部移驻镇江。但是，当时的政治风气很乱，走关系、拉帮派是常有的事。钱基博就亲身经历了这样一件事：

苏州周怡春持国民党党员证，来司令部，征求入党。我意稍踌躇，欲考虑党纲一二日。周怡春肝火甚旺，骤然发怒，说：“你不依我签党证，以后没有你的地方吃饭！”我也怒，应道：“革命仅为自己混饭吃吗！”怡春愤然带着党证走了。

民国2年（1913）3月，国民党人宋教仁在上海遇刺身亡，袁世凯的反动面目昭然若揭，一场讨袁战争不可避免。江苏都督程德全改编江苏陆军，第十六师司令部取消，钱基博被调到都督府任参谋。7月，黄兴发动二次革命，但不久就告失败。此时，直隶都督赵秉钧（1859—1914）看中了钱基博的文才，愿意高薪招他做秘书。但在目睹了国民党的鲁莽分裂和二次革命对地方带来的灾难之后，钱基博深感自己再也不能蹚政界的浑水了。

> 我当时，年未三十——二十七岁，上有老父，下有一妻两子，手头无一些积蓄，目前一家吃饭，亟须打主意！我当日只有两条路可走：一条路，在本地当个绅士，地方上亦尚有人信用。一条路，靠我笔下尚来得，外间也有人知道，投到北京去活动，做一小政客。不过我觉得我自己有些危险性。我身体不健康，胆气也不够。不过我有些小聪明，能用吾脑，碰到一些事，能够正反面看，不同普通人的只看表面。万一被人利用着我打歹主意，我将误用我的聪明害人。所以我决定选择一环境，限制我的用脑，没有机会打歹主意，还是教书。

尽管之前在薛南溟的家中当过家庭教师，在竞志女学当过国文教员，但这都只能算是兼职而已，因为当时的钱基博还没有长期执教的想法。民国2年（1913），钱基博决意教书，并正式踏入教育界，而这一教就是44年，直到他去世。

第二节 国文教学（上）

民国2年（1913），钱基博弃政从教，从此在教育界辛勤耕耘四十余年。在这么多年里，钱基博从小学教到中学，又从中学教到大学，可以说将整个教育阶段都体验了一遍，这和他的宗亲钱穆有着相似的经历。钱基博任职的学校很多，从以下这个表格我们可以直观地看到他的整个执教生涯。

表4 钱基博执教生涯表

起讫时间	地点	工作单位	职务
1913—1915	无锡	无锡县立第一高等小学	国文、历史、理科教员
1913—1915	无锡	无锡县立第二高等小学	理科教员（兼任）
1915—1917	吴江	江苏省吴江丽则女子中学	国文教员

（续表）

起讫时间	地点	工作单位	职务
1917—1924	无锡	江苏省立第三师范学校	国文、经学教员兼教务主任（1923—1924年，兼任国文教员）
1923—1925	上海	上海圣约翰大学	国文教授
1925—1926	北京	国立清华大学	国文教授
1926—1937	上海	私立光华大学	国文系主任、教授兼文学院院长
1927—1936	无锡	私立无锡国学专门学校	国文教授兼校务主任
1927	南京	国立第四中山大学	国文系主任、教授
1937—1938	杭州、泰和	国立浙江大学	国文系教授
1938—1946	蓝田	国立师范学院	国文系主任、教授
1946—1957	武昌	私立华中大学—华中师范学院	国文系、历史系教授

注：1933年到1935年，钱基博、钱锺书父子同在私立光华大学任教；1937年到1938年，钱基博、钱锺韩伯侄同在国立浙江大学任教；1939年到1941年，钱基博、钱锺书父子同在国立师范学院任教。

一、从高小到女中

民国2年（1913），无锡县立第一高等小学（原名“俟实学堂”）出现教师空缺。该校的校长顾祖瑛（1879—1961）想请钱基博到第一高等小学任教，月薪二十元，每周任课二十四小时。但是，顾祖瑛心有疑虑：钱基博的文章享有盛名，其自二十岁即奔走于大江南北，月薪常在两百金以上，赵秉钧的邀请他都没有答应，会答应自己的教员之聘吗？

可是，当他向钱基博提出这个邀请时，钱基博笑着说："顾校长怎么用薪金来衡量我呢？钱家祖孙三代为童子师，我难道会以此为耻吗？"于是欣然应邀。刚到学校，顾祖瑛担心钱基博志高才广，可能不屑于做个教员。但是，教育已然成为钱基博的志业，他怎么会傲慢清高呢？课堂内外，只见他熟讲勤改，学生都很佩服他，在职两年，不曾旷课一天。

据刘桂秋的《无锡时期的钱基博与钱锺书》一书考证，钱基博在县立第一高等小学任教的同时，还在县立第二高等小学（原名"东林学堂"）兼任理科教员，时间为民国2年（1913）11月至民国4年（1915）7月。

民国4年（1915）8月，钱基博应江苏省吴江丽则女子中学校长任传薪（1887—1962）之聘，转任该校国文教员。作为国文老师，钱基博对当时的国文教学深感忧虑。他发现当时好多读书多年甚至从中学、师范毕业的学生竟然不能写出一篇像样的文章。为了解决这种困境，钱基博入校不久就写出一篇《吴江丽则女子中学国文教授宣言书》，系统阐述了他对国文教学的思路和方法。宣言书包括四点：

1.每讲读一文，先命题学生作过，然后示以范式文字。在当时，国文教育存在着讲读与作文割裂的现象，"讲读自讲读，作自作，两两无干系"。钱基博主张应该将讲读课文与指导作文结合起来。在此过程中，亦有两个问题需要考虑：第一，作文范文用古人文字，还是今人文字？第二，先出示范文然后让学生作文，还是与此相反？钱基博认为，人文变化日新月异，文字亦随时势而改变，所以应该用今人文字作范文，所谓的今人文字其实就是钱基博自己的文字。此外，每遇学生作文，决不能事先透露范文，也不能先向学生陈述自己的意见，而应该让学生自由构思，尽情发挥自己的才思。等学生写出习作，由老师批改后，再拿出范文，这样学生才能对作文有更深的感触。

2.诸体文字，务求为均等发育。钱基博发现，学校在作文教学过程中，有时特别重视论说文，有时特别重视记事文，他认为这种强此薄彼的教法很不恰当。钱基博主张，国文教师应该因时制宜、随地指导，要让学生知道什么文题适合什么文体。用恰当的文体进行写作是很重要的。此外，在为学生写的范文中，钱基博一定会在篇首注明何种文体，并考述该文体的特点，这其实就是教育部所规定的“文字源流”课程的梗概了，所以“文字源流”就没有必要设置成一门独立学科了。

3.揭示学子成绩，必眉批作法，勿助长虚骄之气。钱基博在作文教学过程中，非常重视眉批。他认为教师在学生作文上所作的修改文字往往使学生们的作文通体灵活。如果学生能够悟透老师的眉批，那么作文必定能够有所进步。此外，钱基博对作文评批之语非常讲究，他反对用“大处落墨”“恰到好处”“不同凡响”等世故词来评点作文。因为这不仅使学生难以领会其精神实质，而且还会助长他们的虚骄之气。钱基博在批改学生的作文时，不仅不会用这些浮夸之辞，而且还会具体告诉学生某句有何语病，某段应该怎么删改。其目的就是让学生好好反省，“知美中犹有不足，庶几奋而益上也”。

4.力谋与外国文字联络。钱基博认为，中西文字在教授过程中应该谋求沟通，这样可以收到“兼营并进、交相为用”的效果。他向时任英文教师的任传薪校长提议，为了实现中英文沟通，可以采取两种办法：第一，先由任校长选取若干种富有文学意味、可以作为国文题材的英文作品，接着由钱基博安排学生汉译，然后由钱基博出示范文让学生进行比较揣摩，最后由任校长就原文进行教授。第二，先由任校长讲授原文，然后让钱基博安排学生汉译，最后公布范文，由学生参互比较。两种方法顺序不同，但都能起到中西文字沟通、并进的作用。

二、任职三师

民国6年（1917）秋，钱基博转任江苏省立第三师范学校（简称“三师”），而这一转任离不开三师校长顾倬（字述之，1872—1938）的知遇之恩。钱基博在《顾公述之先生哀辞》中回忆：“余之受成（述之）先生，始于民国六年。先生以前一年见招，而余已受聘吴江，先生则固订来岁之约。及六年春，余以清明扫墓归里，先生则伺余之归而亟造致聘焉。其年致聘之早，莫有先余也。”

三师位于无锡学前街，创建于清宣统三年（1911），江苏省提学司任命顾倬为该校监督。三师初名江苏官立第三师范学堂，民国元年（1912）改称江苏省立第三师范学校，辖无锡、宜兴、武进、江阴、靖江五县。顾倬是无锡著名的教育家，光绪二十八年（1902）曾到日本弘文学院师范科留学一年。因此，他在治理三师时借鉴了日本东京师范学校的许多宝贵经验。

根据民国元年（1912）的教育部令《师范学校规程》和民国5年（1916）的《修正师范学校规程》，师范学校被分为预科（1年）、本科第一部（4年）、本科第二部（1年）三个层级，其中第二部视地方情形可以不设。钱基博所在的三师即预科1年、本科4年，本科教师随班递升。

刚到三师，钱基博担任了本科一年级的国文兼读经教员。民国11年（1922）、12年（1923），兼任三师教务主任的钱基博相继发表了《江苏省立第三师范学校国文科教授进程之说明书》和《师范学校读经科教授进程说明书》，对自己所教授的国文科和读经科进行了全面总结和说明。

钱基博认为师范学校国文教授之旨趣有二：一是须指导学生以练习一种适用之文字技能。二是涵养学生文学之兴趣，以渐引入胜，俾底于欲罢不能之境而知所自修。为了实现国文教授的旨趣，也为了满足《修正师范学校规程》的要求，钱基博在预科和本科、必修科和选科上对国文教授进行了一番细致的规划。他认为，在预科应重点提升学生的文字技能，到了本科则要增加涵养文学兴趣的教材；必修科主要讲授读、作教材，以指导学生练习一种文字技能，而选科则要开发学生的文学兴趣，使学生渐入欲罢不能之境而知所自修。

为此，钱基博将必修科分为读本和作文两部分，每学年持之以恒。此外，他还根据师范学校的教育特点，在本科第一学年增加了“文字源流”课，在本科第四学年增加了“小学国文教学法”课。至于选科，则从本科第二学年开始，每学年都包括讲、看、作三大部分，各个学年的“作”一以贯之，包括读书日记和自由著作，但“讲”与“看”各有不同。其中，第二学年讲中国文学研究法，看史书和白话小说；第三学年讲特殊文学之研究，看子书和文言小说；第四学年讲中国文学史概论、读《易》法、读《诗》法，看《易经》、看《诗经》。

除了国文科，钱基博在《师范学校读经科教授进程说明书》中对读经科的旨趣和方法也进行了说明。当时，整个社会对读经科的存废进行了热烈的讨论，国粹派认为应该读经以存古，而欧化派则主张废读经以求新。钱基博主张读经，但他与国粹派的存古说有所不同，他认为读经的目的在于“温故而知新”。“今之学者不事温故，只求知新，未能继承，已思创作。祛理知而言直觉，超现实而骛玄想。浮谈无根，等于说梦。此大弊也！至以读经为存古，则又拘虚之见，而未能游于方之外者。”

钱基博主张读经，但他认为师范学校的读经旨趣与大学文科有所不同。大学文科重治经，而师范学校重经世，重修养人格。这正如《修正师范学校规程》第九条规定的那样：“读经要旨，在讲明吾国古先圣哲相传人伦道德之要，尤宜注意于家庭、社会、国家之关系，以期本经常之道，应时势之需。”

按照要求，钱基博将《修正师范学校规程》规定的《论语》《孟子》和《礼记》《春秋左氏传》四部书分别安排在预科和本科第一学年诵读、讲解。为了便于讲解，钱基博采取了分门别类的方法。例如《论语》被分为正名篇、君子篇、教学篇，《孟子》被分为原性篇、存心篇、养气篇、教学篇、辨诸子篇、政制篇。此外，钱基博还将《礼记》分成六类，将《春秋左氏传》分成十四类。

民国12年（1923），常州孟宪承（1894—1967）前往三师邀请钱基博到上海圣约翰大学担任国文教授。钱基博与孟宪承本不相识，但孟宪承读过他写的《吴禄贞传》，认为他的国文很有造诣，教国文又很认真，故到无锡相邀。孟宪承对钱基博说：“目前在南京上海的教会大学，学生只知道读英文，而对国文不当回事，几乎忘了自己是哪国人。因此，江苏教育会决定整顿国文课。圣约翰大学校长卜舫济（1864—1947）邀我去当国文主任，但我觉得应该请一位对国文有坚强自信心，不怕和学生麻烦者同去，希望钱先生不要推辞。”钱基博发现这些学生存在的问题很严重，于是便答应暑假后前往。

暑假后，钱基博如约到圣约翰大学任教。但是，因为三师是随班递升，他在四年级还有一年的课程，为了完成教学，钱基博这一学年只好在上海、无锡两地往返。

民国11年（1922），北洋政府以大总统的名义颁布了《学校系统改革案》。改革案所推行的学制与10年前的“壬子癸丑学制”有别，被人称为“壬戌学制”。随着壬戌学制的推行，三师从原来的五年制改为三年制，有的教师分调他处，有的教师则辞职他就。这样，三师面临着前所未有的师资紧缺问题。

民国11年（1922）秋，钱穆曾在无锡县立第一高等小学有过短暂的教学时光。钱基博早在九年前就在这所学校担任过国文教员。基于这种机缘，钱穆有幸结识了同宗钱基博。同年9月1日，《无锡新报》创办，钱基博担任该报的主编。在9月16日《无锡新报·思潮月刊》的创刊号上，钱穆写给钱基博的《与子泉宗长书》被钱基博刊登，这说明钱基博与钱穆的情谊最晚开始于民国11年（1922）9月。民国12年（1923），钱穆从厦门集美学校辞职归锡，钱基博知道后，便登门邀请钱穆任教三师，钱穆欣然答应。这样，钱穆与钱基博得以在三师同事一年。

第三节　国文教学（下）

一、执教圣约翰大学

钱基博

从民国12年（1923）到14年（1925），钱基博在上海圣约翰大学担任国文教授。圣约翰大学是一所教会大学，其前身是由美国圣公会创建于清光绪五年（1879）的圣约翰书院。光绪十二年（1886），圣约翰书院改名圣约翰学校。光绪三十一年（1905），圣约翰学校升格为圣约翰大学。第二年，圣约翰大学在美国华盛顿州注册立案，学制四年，毕业生可以直接到美国就读研究生。

钱基博就任圣约翰大学时，其学校正如孟宪承所言，情况很糟糕，问题很严重。因为是教会大学，毕业后又可以到美国留学，因此大部分学生都不重视国文教育。钱基博在《自我检讨书》中回忆道：

学生上国文课，只自管自手里拿一本英文书读；国文老师，则在教台上，摊一本国文，低着头，有声无气地自管自咬文嚼字，而绝不过问学生手里拿的书是国文还是英文。乃至点起名来，则正襟危坐着，叫："密斯脱某！""密斯脱某！"一六十多岁之老孝廉公，也不能例外。不但学生忘记掉自己是中国人，即国文老师，也自己忘其所以。

钱基博对这些教师感到很悲哀，他在第一堂课点名的时候就没有喊"密斯脱"，但这样反而使学生们听不惯。钱基博对圣约翰师生的忘本行为深恶痛绝，他决定通过与学生订立规约，来挽救他们的"中国心"。在第二堂课上，钱基博没有点名，但他却给学生们讲了一段意气激昂的心里话：

诸位毫无问题是中国人，然而诸位一心读英文，不读国文，各位的心，已不是中国人的心！我听说诸位到圣约翰读书，每年花费须五百多元。我想诸位家里，花了五百元一年，卖掉你们做外国人！我想诸位祖宗有知，在地下要哭！我今天已不是圣约翰雇聘的一个国文教员，而是一中国父老的身份，看你们作子弟，挽你们的心，回向中国。我想你们不愿也得愿：因为你们身里有中国人的血！

钱基博的这番话感动了在场的所有学生。接着，他趁热打铁，给学生提出两点：第一，上国文课不许带英文书；第二，开设"文学史"课，主讲近三十年中国文学变化，以激发学生的兴趣。后来，这门课的讲义被钱基博编纂为《现代中国文学史》一书。

民国14年（1925）5月30日，"五卅惨案"在上海租界爆发，英国巡捕对中国群众开枪，死者十几人，伤者数十人。钱基博恰好路过这里，目睹了中国人鲜血横流的惨状。6月1日，钱基博第一节有课。刚一上课，他对学生们直言：

> 我提议我们今天静默十分钟，自己想一想！我们中国人讲孔孟之道，不过“仁”“义”二字。现在我们眼看着许多自家人无缘无故被打死了，我们自管自读书，心里没有一些同情，不得算作“仁”。我们眼看着外国人打死我们自家人，不开一句口，不伸一伸手，“义”气何在？

午后，学生会通知教授会，响应上海各大学，一致罢课。随后国文系同仁召开会议，对学生罢课之举表示支持。当晚，校长卜舫济也召开了教授会，对学生罢课之事进行讨论。虽然教授会通过罢课决议，但是卜舫济校长却提出反对，而且声明：“校长有自由处分校事之权，绝不受教授会的议决案束缚！”

6月3日，圣约翰大学以下半旗的方式对“五卅惨案”牺牲者表示哀悼。但是，气急败坏的卜舫济校长将中国国旗降下，当着中国学生的面将国旗撕毁，并踩在脚下。卜舫济的这一行径引起了中国爱国师生的强烈不满。他们纷纷宣布辞职或退学，并在上海沪西另建光华大学。钱基博也成为光华大学的创建人之一。

二、来往光华大学与无锡国学专修学校

尽管参与了光华大学的创建，但钱基博第一年并没有到光华就职，而是前往清华学校担任大学普通部国文教授。但是，钱基博对清华的洋化生活和拜金主义备感失望，于是在民国15年（1926）秋出任光华大学国文教

授，后来还兼任国文系的系主任。

民国22年（1933），钱基博又兼任了光华大学文学院院长。因为对旧中国文学系学程不满，他就在系务会议讨论的基础上起草了《改订中国文学系学程》，并发表在《光华年刊》第八期上。

该学程“以读专书为原则，以培养国性，陶淑人格为宗旨。而以严格训练书能读写作为实施”。其目的在于“矫正现代青年知识肤浅，蔑视祖国之弊”。学程分为三种：诵读学程、整理学程和训练学程。其具体内容如下：

（甲）诵读学程

（一）基本思想：“四书”《周易》《老子》《庄子》《荀子》《墨子》《韩非子》《公孙龙子》《吕氏春秋》《淮南子》

（二）基本文艺：《说文》《毛诗》《文选》《古文辞类纂》《六朝文絜》《韩昌黎集》

（三）基本掌故：《尚书》《左传》《礼记》《通鉴》《通考》

（乙）整理学程

（一）关于思想方面者：《中国哲学史》

（二）关于文艺方面者：《诗品》《文心雕龙》《中国文学史》

（三）关于掌故方面者：《中国近世史》《中国文化史》《史通》《文史通义》

（四）关于古籍方面者：《经学史》《中国史学史》《古籍鸟瞰》

（丙）训练学程

（一）基本国文

（二）应用文

（三）各项作文、骈文、诗、词

根据上述学程分类，钱基博制定了各门学程的用书、学时、学分、必选修计划表。其中，一、二年级以必修为主，三、四年级以选修为主，所选用书基本都是古籍。这充分说明了他对国学和古文的青睐，而这样的教学模式也最能为中国培养一批真正的国学精英。

民国16年（1927）上半年，受北伐战争的影响，钱基博滞留无锡，无法到上海授课。这时，无锡国学专修学校的校长唐文治（1865—1954）邀请他到校讲学，后又聘他做无锡国学专修学校的教授兼校务主任。暑假后，钱基博尽管在南京第四中山大学担任过半个月的国文系主任，但后来仍然在上海光华大学教书。这样，他再次在上海与无锡两处兼课，而这种兼课情形一直持续到抗战前夕。

近十年来，钱基博在无锡国学专修学校讲过正续《古文辞类纂》《文史通义》《东塾读书记》《现代中国文学史》《韩昌黎集》和目录学、版本学、要籍解题等课程。钱基博授课极为认真，也很有方法，这些方法后来颇为弟子们称道。王绍曾（1910—2007）是钱基博在无锡国学专修学校的入室弟子，也是我国著名的古文献学家。他在《钱子泉先生讲学杂忆》一文中回忆："先生讲授正续《古文辞类纂》又别开生面，把重点放在辨析文章的源流正变和各家异同得失上。先生讲来，好像把我们带入建章之宫、群玉之府，大有目不暇给的感觉。……当时我们同学对先生讲授这门课，无不五体投地。现在想起来，先生的讲法，是把讲授古文和文学批评、文学史有机地结合在一起，比空洞的讲文学批评和文学史具体而生动。"

除了钱基博在无锡国学专修学校的教学工作，在这里我们还想探讨一下钱氏家族与无锡国学专修学校的关系。在钱家，钱基博与无锡国学专修学校关系最密。第一，钱基博家与无锡国学专修学校距离很近。第二，钱基博与无锡国学专修学校校长唐文治交往甚笃，后来唐文治还为其父钱福炯撰写了《钱祖耆先生墓志铭》。第三，钱基博从民国16年（1927）到25年（1936）一直在无锡国学专修学校担任教授和校务主任，最后因为操劳过度，精神渐衰、身体多病，才不得已辞去校务主任一职。

除了钱基博，我们发现至少还有四位钱氏子孙与无锡国学专修学校有直接的联系。我们不妨用以下这个简表来说明：

表5　钱氏家族与无锡国学专修学校的关系

姓名	简介	关系
钱锺夏（1907—1990）	钱镠的第三十三世孙，无锡堠山钱氏丹桂堂钱福炜之孙	1927年至1930年，就读无锡国学专修学校
钱锺元（1914—1959）	钱镠的第三十三世孙，无锡堠山钱氏丹桂堂钱基厚之女	1931年至1934年，就读无锡国学专修学校
钱伟长（1912—2010）	钱镠的第三十五世孙，无锡湖头钱氏钱穆之侄	1926年至1927年，就读无锡国学专修学校
钱仲联（1908—2003）	钱镠的第三十五世孙，湖州钱氏钱玄同之侄	1924年至1926年，就读无锡国学专修学校。后来成为无锡国学专修学校老师

三、奔赴国学师范学院

民国26年（1937）夏，“七七事变”爆发，上海战紧。钱基博被迫从光华大学转任杭州浙江大学国文系。民国27年（1938）初，钱基博随浙江大学迁往江西泰和；2月，其妻王氏、女锺霞随弟基厚避居上海租界；7月，浙江大学放暑假，钱基博取道粤汉路至香港，转乘轮船到上海探亲。这一去就再也没有回浙江大学。

民国27年（1938）8月，钱基博的好友廖世承（1892—1970）奉部令前往湖南省安化县蓝田镇筹建一所师范学院。11月，国立师范学院建成，廖世承被命为院长。受廖世承之聘，钱基博前往国立师范学院担任国文系教授兼主任。

民国28年（1939），一向重视课程设计的钱基博在《国师季刊》上发表了《修正师范学院国文系必修选修学程草案意见》。该意见与钱基博在三师、光华大学所制定的学程一脉相承，都肯定了传统文化教学的重要性。他在意见的“宗旨”中写道：

> 师范学院国文系之旨趣，在造就中学之国文师资，指示文章正轨，导扬祖国文化，陶淑人格，深造有得，以能自阅读古书，用浅近之文言，自由发表思想，深切了解中国文化为主旨。

根据这一宗旨，钱基博特别强调阅读古书的重要性。他指出：“一切教本以专书为原则，经史子集要籍略备，务欲养成学生于中国古书能自阅读批判。”然而，当时的国文教育界存在着两大弊病：第一，给学生开列一堆诸如国学概论、文学批评、文学史这样的课，学生不读古书，道听途说；第二，虽然让学生读古书，但并没有发凡起例，指示门径，致使学生难以融会贯通。为此，钱基博主张要多进行专书讲授，而且责成学生批点札记，并严格考校。其实，这就是从前书院真正的教学精神与办法。

除了批点，钱基博也很重视诵读。俗话说："书读百遍，其义自见。"反复诵读可以加深理解，最后达到感悟和提升。伍大希在《七十年家与国——伍大希讲演实录》一书中回忆："（钱先生）讲《昭明文选》，眼不看台下，一坐下来，助教把文房四宝一摆开，他便摇头晃脑地吟诵起来，一面吟诵，一面圈点。我们也跟着他、模仿他亦步亦趋地吟诵圈点，往往一节课不讲一句话，就在这悠扬起伏的吟诵声中过去。我们也似有所悟，感到是一种享受。"

在国立师范学院国文系还有一个口号，叫"勤讲勤改，多读多作"。"多读多作"主要是对学生讲的，钱基博带领大家吟诵就是要在学生中贯穿这一思想。而对教师而言，他们的任务就是"勤讲勤改"。钱基博是勤讲勤改的发起者，也是勤讲勤改的楷模和表率。

当时在国立师范学院任教的青年教师张舜徽（1911—1992）在《学习钱子泉先生"学而不厌，诲人不倦"的精神》一文中回忆："记得在国立师范学院的时候，各系一年级，都有'基本国文'，由他创议，每年春节前后，举行全院性的国文阅卷观摩会，展览出全院的国文习作，由大家看，大家评，评出学生写得好、老师改得好的作品予以表扬。于是激起了老师们仔细批改习作的热情，蔚然成风。他真是以己之所行，感染到其他同事了。假若不是他具有诲人不倦的精神，何能在教学上取得这样的成绩。"

虽然疾病缠身，但钱基博对国文教学的热情始终没有松懈。可以说，他将自己的全部身心都投到教育事业上。另外，针对日军侵略的社会现实，钱基博不仅为大家讲授一般的国文课，还为大家开设了《韩非子》和《孙子兵法》。这说明，钱基博在提倡古文的同时对现实社会也具有高度的责任感。

四、叶落华中

民国35年（1946），钱基博离开了执教八年的国立师范学院，前往地处湖北武昌的私立华中大学任职。从此，他人生的最后岁月便与这所大学联系在一起。从民国35年（1946）到1952年，他一直在华中大学国文系任职。1952年，院系调整在全国高等院校中全面展开，华中大学被改组为华中师范学院。钱基博也由国文系转任历史系。

据《华中通讯》报道：钱基博在入校第一年为学生开了三门课，除了为一年级学生讲“读书指导”，还为国文系各级学生讲“韩柳文选”“国语、国策、三国志”。民国36年（1947）秋，钱基博觉得“开课若无通盘计划，则难免支离破碎”，因此他为学生重新设计了课程。《钱基博教授本年授课计划》一文记载：

> （钱基博）计为国文系主修二年级学生拟开“四书”一课，按朱夫子所定秩序先讲《论语》，注重训练“中心思想”，及短篇文章作法……次讲《大学》，再次为《中庸》，可训练学生作长篇论文……最后则讲《孟子》，为讨论社会及政治问题者。钱教授认为“四书”乃儒家思想之总汇，而儒家思想支配中国社会之各部门，离开儒家，更

不能谈中国之教育思想，故望教育系学生亦选读此课。为国文系主修三、四年级，将开“韩文杜诗”，昌黎之文，与少陵之诗，乃中国文坛不朽之作，尤足为诗文中之代表，开始讲授后，拟一周习作为文，一周习作为诗。此外，更开“史记”一课，除国文系主修三、四年级学生必修外，更望历史系学生选修。钱教授认为欲提高学生兴趣，养成读书习惯，主张训练学生圈点书籍，并闻各课皆为学年课程，“四书”系每学期二学分，“韩文杜诗”为每学期四学分，“史记”为每学期三学分，一俟本学年第一次教务会议通过，即将开始讲授云。

后来，钱基博的三门课程都得到教务会议的通过，他的课程顺利开讲。如今，我们通览钱基博的三门课程，觉得他的安排的确有一种全局思想。“四书”偏哲学，“韩文杜诗”偏文学，“史记”偏历史，文史哲的贯通恰恰是通识教育的主要表现。此外，这种设计还体现了钱基博将“看”“读”“作”结合起来的一贯主张，对学生整体素养的提升有着极好的作用。

1952年，钱基博转任历史系。因为他的倡议，华中师范学院计划成立历史博物馆，并由他承担筹建工作。钱基博对历史博物馆的筹建非常上心，并将自己平生收藏的两百多件文物全部捐赠出来。稍后，他又为博物馆写成了三十多万言的《华中师范学院历史博物馆陈列品研究报告》。这差不多是他留给世人的最后学术著作。

1953年，因为身体原因，钱基博不再到教室上课，但他对学校与历史系的教学、科研以及师资培养仍然保持着极大的热情，经常给校、系领导提一些有益的建议，并对青年教师的请益问难也给予认真的指导。1956年秋，钱基博还拖着病体为中国古代史教研室的多位青年教师讲授了中国古代史，这应该是他人生中最后一次授课了。1957年，反右运动开始，钱基博因为一封写给湖北省委的万言书，不幸遭到错误批判。同年11月，钱基博在抑郁和病痛中走完了自己的一生。

第六章 钱锺书的教育

畢業證書

學生錢鍾書係江蘇省無錫縣人現年二十三歲在本校文學院外國語文系修業期滿成績及格准予畢業得稱文學士此證

國立清華大學校長梅貽琦
教務長張子高
文學院長馮友蘭

中華民國二十二年六月二十二日

钱锺书的毕业证书

第一节　家居岁月

一、“骄”与“默”

钱基博与家人

宣统二年（1910）十月二十日，钱基博的长子出生在无锡岸桥巷秦氏宅。按照家谱“福、基、锺、汝、昌”的辈序，刚出生的婴儿排到“锺”字辈。刚巧这天有人给钱福炯送来一部《常州先哲丛书》，所以长辈就为其取名“锺书”，字哲良，小字阿先。家里长辈叫他“先儿”，佣人则称他为“先哥”。但是，“先儿”“先哥”好像“亡儿”“亡兄”似的，所以父亲又把“先”字改为“宣”。但是，有的时候，钱基博依然会叫锺书“先儿”。

少年时期的钱锺书很不安分，争强好胜几乎成了他的代名词。一天，有个叫如锦的小伙伴给钱锺书送来一幅春光图。接过图画，才思敏捷的钱锺书顿生灵感。只见他迅速提笔，很快就写好了几行文字。

但是，这幅画无意之间被父亲钱基博看到了。他发现儿子锺书借春花的绽放来比喻自己的少年得志，一种大器早成的心态表露在儿子的字里行间。钱基博深感儿子性情浮薄和自傲，于是也在这幅画上写了一篇《题画谕先儿》，对儿子进行再三告诫：

少年人不可不有生意。

所谓生意者，须如早春吐蕾，含而未透，乃佳。吾常目此时曰“酝春”；愈酝酿，生意愈郁勃。邱迟《与陈伯之书》曰：“暮春三月，江南草长；杂花生树，群莺乱飞。”烂漫已极，便非好景。盖春光切忌太泄；泄则一发无余，生意尽矣。

汝在稚年，正如花当早春，切须善自酝蓄。而好臧否人物、议论古今以自炫聪明，浅者讥其浮薄。语曰：“大器晚成。”蓄之久，而酝酿熟也。又曰：“小时了了，大未必佳。”发之暴，而酝酿不熟也。如锦侄绘此贻汝，非必喻汝少年身世之生意洋溢，或亦有所讽耳。汝不可不知此意，切切。

鉴于钱锺书的快言快语和骄傲自满，钱基博为儿子改字“默存”。“默存”出自《易·系辞》：“默而成之，不言而信，存乎德行。”钱基博希望锺书少出风头，多积口德，不自夸，不自满，做到脚踏实地，行胜于言。

其实，钱锺书儿时这种自我张扬的性格也曾出现在年幼的钱穆身上。

在无锡，有这样一句话，叫作“东有七房桥，西有七尺场”。钱穆出生在无锡鸿声七房桥一个五世同堂的大家庭，而钱锺书十多岁后则住进了无锡城西七尺场新修成的绳武堂。后来，钱穆、钱基博、钱锺书都成为国学大师、文化昆仑，所以就有了“东有七房桥，西有七尺场”的并称。

钱穆小的时候聪颖过人，过目成诵，九岁的时候就能背诵《三国演义》。当时，钱穆的父亲钱承沛每晚都到鸦片馆处理镇务。有的时候，钱穆也跟随前往，父亲并没有禁止。有天晚上，大家依然聚在鸦片馆里商议正事。休息时，大人们听说钱穆能背诵《三国演义》，于是就发生了下面的事情：

> 一客忽言：“闻汝能背诵《三国演义》，信否？”余点首。又一客言：“今夕可一试否？”余又点首。又一客言：“当由我命题。”因令背诵兼表演，为诸葛亮，立一处；为张昭诸人，另立他处。背诵既毕，诸客竞向先父赞余，先父唯唯不答一辞。翌日之夕，杨四宝又挈余去，先父亦不禁。路过一桥，先父问：“识桥字否？”余点头曰：“识。”问：“桥字何旁？”答曰：“木字旁。”问：“以木字易马字为旁，识否？”余答曰：“识，乃骄字。”先父又问：“骄字何义，知否？”余又点首曰：“知。”先父因挽余臂，轻声问曰：“汝昨夜有近此骄字否？”余闻言如震雷，俯首默不语。（钱穆《八十忆双亲　师友杂忆》）

钱承沛教育钱穆戒“骄”字，致使他“俯首默不语”，并意识到自己的错误；钱基博写《题画谕先儿》，又给钱锺书改字“默存”，希望他不自夸、不自满，这两件事都寄予了父亲对儿子的谆谆教诲。

二、“严”与“慈”

在祖父钱福炯的指示下，钱锺书出生没多久就过继给了大伯钱基成。这样，钱锺书就有两个父亲，一个是生父钱基博，一个是嗣父钱基成（钱锺书始终称其“伯父”）。然而，钱基博与钱基成对锺书的教育方式是完全不一样的。钱基博是真正的严父，而钱基成则更像“慈母”。而且，他们两位还暗地里争抢着把“爱”施加到钱锺书的身上。

在钱锺书出生后，钱基成曾连夜冒雨跑到乡下，为钱锺书物色了一个奶妈。她是个寡妇，遗腹子一出生就死了，正是个好奶妈。她后来在钱家待了一辈子，一直照顾着锺书兄弟的日常起居。所以，钱锺书得到的母爱比父爱还多，一方来自生母，一方来自嗣母，还有一方来自奶妈。

民国2年（1913），嗣父钱基成开始教四岁的钱锺书识字。民国5年（1916），钱基成正式教七岁的锺书和六岁的锺韩读经。课程一天只上半天，而且都安排在下午。那么，两个孩子在上午的时间就是自由的。杨绛在《记钱锺书与〈围城〉》中曾写道：

> 每天早上，伯父上茶馆喝茶，料理杂务，或和熟人聊天。锺书总跟着去。伯父化一个铜板给他买一个大酥饼吃（据锺书比给我看，那个酥饼有饭碗口大小，不知是真有那么大，还是小儿心目中的饼大）；又化两个铜板，向小书铺子或书摊租一本小说给他看。

在这样宽松的环境下，钱锺书自由地成长着。但钱基厚总觉得大哥每天的学业安排太少，教学时间太短，于是就在下午放学后私下里给锺韩“开小灶”。可是，钱锺书就不同了，因为和大伯一起居住，钱基博只能干着急。晚上，伯父和钱锺书就成了“老鼠哥哥同年伴儿”，俩人在房间里玩得不亦乐乎。

> 伯父用绳子从高处挂下一团棉花，教锺书上、下、左、右打那团棉花，说是打“棉花拳”，可以练软功。伯父爱喝两口酒。他手里没多少钱，只能买些便宜的熟食如酱猪舌之类下酒，哄锺书那是“龙肝凤髓”，锺书觉得其味无穷。至今他喜欢用这类名称，譬如洋火腿在我家总称为“老虎肉”。他父亲不敢得罪哥哥，只好伺机把锺书抓去教他数学；教不会，发狠要打又怕哥哥听见，只好拧肉，不许锺书哭。锺书身上一块青、一块紫，晚上脱掉衣服，伯父发现了不免心疼气恼。锺书和我讲起旧事，对父亲的着急不胜同情，对伯父的气恼也不胜同情，对自己的忍痛不敢哭当然也同情，但回忆中只觉得滑稽又可怜。
>
> ……
>
> 锺书小时候最乐的事是跟伯母回江阴的娘家去；伯父也同去（堂姊已出嫁）。他们往往一住一两个月。伯母家有个大庄园，锺书成天跟着庄客四处田野里闲逛。他常和我讲田野的景色。一次大雷雨后，河边树上挂下一条大绿蛇，据说是天雷打死的。伯母娘家全家老少都抽大烟，后来伯父也抽上了。锺书往往半夜醒来，跟着伯父伯母吃半夜餐。当时快乐得很，回无锡的时候，吃足玩够，还穿着外婆家给做的新衣。可是一回家他就担忧，知道父亲要盘问功课，少不了挨打。父亲不敢当着哥哥管教锺书，可是抓到机会，就着实管教，因为锺书不但荒了功课，还养成不少坏习气，如晚起晚睡、贪吃贪玩等。

从以上的记载中，我们可以看出钱基成与钱基博对钱锺书的教育争抢得很厉害。一个是放任，一个是严管，而且竟然都是那么极端。在笔者看来，这与钱锺书的“出嗣”有着极大的关系。在钱基成一方，他三十八岁才得了这个儿子，心疼都心疼不过来，哪里还顾得上打呢？但对于钱基博而言，无论如何锺书也是自己的儿子，他希望钱锺书长大有出息。他也知道，钱锺书是颗“读书种子”，所以他希望钱锺书将来能够成长为一个学问家，以此延续钱氏家族的文化血脉。

然而，钱锺书从钱基成那里得到的爱还是太少了。民国9年（1920）秋天，钱基成撒手人寰，钱锺书失去了一位好伯父。“锺书还未放学，经家人召回，一路哭着赶回家去，哭叫‘伯伯’，伯父已不省人事。这是他生平第一次遭受的伤心事。”钱基成死后，钱锺书悲痛欲绝，泪流满面。幸亏家中尚留伯父画像一帧，可以作为思念伯父的实物。钱锺书常常瞻仰伯父的画像，其音容笑貌也时时在脑海里回荡。不久，钱锺书写了一篇《题伯父画像》，借此抒发对伯父的思念之情。其文曰：

> 呜呼！我亲爱之伯父死矣，不得而见之矣。可得而见者惟此画像耳。然吾瞻拜伯父之画像，不禁哀之甚，而又慰之深也。哀莫大于死别，夫何慰之有？慰者，幸音容之宛在。然而不能无哀，哀者，哀死者之不可复生也。嗟夫，我伯父仍终不可得而见矣！于不得见之中而可以稍慰夫欲见之心者，幸有斯像耳。岁时令节，魂兮归来。锺书衔哀展（瞻）拜，供奉香花，我伯父在天之灵，其实式凭之。

伯父去世后，钱锺书依然和伯母毛氏住在一起。但是，他的生活和教育则由钱基博接管。据杨绛在《记钱锺书与〈围城〉》中回忆，钱锺书伯母的娘家原来“是江阴富户，做颜料商发财的，有七八只运货的大船”。

可是福无双至，祸不单行。后来，伯母遭遇的困厄接踵而至。就在伯父去世的同时，伯母的娘家也开始败落，兄弟相继去世，家里的大货船逐渐卖光，伯母娘家的辉煌岁月一去不复返了。

为了释放自己的压力，钱锺书的伯母抽起了大烟，早上起得很晚。可怜的锺书只能由伯母的陪嫁丫头热点馊粥吃了上学。民国15年（1926）夏，在伯父去世六年后，钱锺书的祖父钱福炯去世。伯母毛氏因经历公爹的死，对自己的丈夫更加怀念。新愁旧悲，疾病攻心，不到三年，钱锺书亲爱的伯母也在民国18年（1929）的春天离世了，享年五十七岁。此时，钱锺书正就读于无锡辅仁中学。

从宣统二年（1910）到民国18年（1929），钱锺书与伯母毛氏共同生活了近二十个春秋。晚年的毛氏虽然遭遇了各种不幸，郁郁寡欢，但她对钱锺书的爱还是真挚的。伯母去世一个月后，钱锺书写了一篇《先妣毛夫人行略》，后来发表在《南通报》副刊《文艺》第十九号（1929年5月2日）上。这篇文章叙述了毛氏的病因，追忆了毛氏与钱锺书的深深母子之情，同时还真实表明了钱锺书中学时代的古文水平。兹摘录如下：

> 母江阴毛夫人，生于让清同治十二年夏历三月二十五日，殁（mò）于中华民国十八年夏历二月十一日。……民国八（应为“九”）年，府君有刻剥之痛，侵寻六载，重遭王考祖耆公之大故。夫人臼（疑为“旧”）恨在心，新悲填膺，哀可知矣，疾乃深焉。自此三岁，病躯婵媛，起伏迭有，而后差不及前差，后剧必甚前剧。古人示疾，尝以致叹，昔闻厥语，今见斯情。及客腊而霜露之感，浸入膏肓，卧榻四旬，溘焉大渐；呜呼痛哉！寿五十七。于是乎去府君之殁，盖十年，去

王考之殁，二年又七月也。启手足之日，媪（ǎo）婢师师，罔□擗摽（pǐ biāo），遗德入人，家门之化，于是乎远。生女一，适秦，是即姊氏告我以夫人之懿德者也。无子，以锺书为嗣。提撕自幼，比爱亲生，顾我复我，迄二十岁。锺书每离膝前，夫人翘思一室，居者之情，盖与行者共之。深恩浃肌，而今奚恃，危涕队心，云胡得已。锺书无知小弱，将母未能，每寻反本之思，弥切鲜民之恸。恭疏行谊，匪粤鞶帨（pán shuì），孤子自写其哀，长德幸矜其意云尔。

心爱的伯父、伯母走了，钱锺书的少年时光也结束了。回想过去近二十年二老的耳提面命和疼爱有加，钱锺书悲上心来。因为钱锺书还没有来得及报答他们，他们就早早地过世了。伯父走时才四十八岁，伯母走时也不过五十七岁。杨绛在《记钱锺书与〈围城〉》里写过，钱家的风水是“不旺长房旺小房”，伯父、伯母早逝，又没有子息，也许真是一语成谶吧。

三、“游”与“学”

钱基博有三子一女。钱锺书出生后的几年内，他的弟弟、妹妹相继诞生了。民国元年（1912），二弟锺纬出生，小名“阿武”，取“经文纬武”之意；民国2年（1913），三弟锺英出世，因为这一年是癸丑牛年，所以用“阿牛”作小名；民国5年（1916），钱锺书的幺妹锺霞降生，因为是钱基博唯一的女儿，所以格外受宠。

相对于钱基博，钱基厚的子女阵容更庞大，有九子二女。如果再加上钱基成的一个女儿，钱福炯应该有十二个孙子、四个孙女。这真可以算是一个大家族了。但钱基成的女儿比她的堂弟、堂妹们要大得多。民国4年（1915），当钱锺书还不满六岁的时候，钱基成唯一的女儿就已经出嫁了。

据杨绛的《记钱锺书与〈围城〉》记载："锺书自小在大家庭长大，和堂兄弟的感情不输亲兄弟。亲兄弟、堂兄弟共十人，锺书居长。"刚才不是说钱福炯有十二个孙子吗？这里怎么又成了"十人"呢？其实，这个问题不难回答，我们翻一翻《孙庵年谱》就明白了。第一，钱基厚的七子锺达民国23年（1934）不幸早殇，死的时候才七岁；第二，钱基厚的八子锺筏一生下来就送给好友徐彦宽（1886—1930），但不幸三岁就夭折了。所以，说钱锺书亲兄弟、堂兄弟十人也没有问题。

钱锺韩是钱基厚的长子，仅比钱锺书小半岁。锺书和锺韩虽然是堂兄弟，但因为年龄相仿，所以从小到大几乎形影不离。这种情形真像是他们父亲钱基博、钱基厚的翻版了。儿时的钱锺书非常淘气，搞恶作剧是常有的事。这时，钱锺韩往往成了钱锺书的"帮凶"。据《记钱锺书与〈围城〉》记载，钱锺书曾干过这样一件事：

> 有个女裁缝常带着个女儿到他家去做活；女儿名宝宝，长得不错，比他大两三岁。他和锺韩一次抓住宝宝，把她按在大厅隔扇上，锺韩拿一把削铅笔的小脚刀作势刺她。宝宝大哭大叫，由大人救援得免。兄弟俩觉得这番胜利当立碑纪念，就在隔扇上刻了"刺宝宝处"四个字。锺韩手巧，能刻字，但那四个字未经简化，刻来煞是费事。这大概是顽童刚开始"知慕少艾"的典型表现。后来房子退租的时候，房主提出赔偿损失，其中一项就是隔扇上刻的那四个不成形的字，另一

项是锺书一人干的坏事，他在后园“挖人参”，把一棵玉兰树的根刨伤，那棵树半枯了。

多年后，钱锺书把自己淘气的故事讲给夫人杨绛和女儿钱媛听，还引起了母女俩的一阵“取笑”。除了“淘气”，钱锺书的另一个特点就是“痴气”了。钱家人经常开玩笑说，锺书的痴气大概来自他的奶妈（锺书称为“姆妈”）。在《记钱锺书与〈围城〉》中，杨绛曾写道：

姆妈一辈子帮在钱家，中年以后，每年要呆呆的发一阵子呆，家里人背后称为“痴姆妈”。她在锺书结婚前特地买了一只翡翠镶金戒指，准备送我做见面礼。有人哄她那是假货，把戒指骗去，姆妈气得大发疯，不久就去世了，我始终没见到她。

关于钱锺书的“痴气”，杨绛还有如下几个证据：

锺书跟我讲，小时候大人哄他说，伯母抱来一个南瓜，成了精，就是他；他真有点儿怕自己是南瓜精。那时候他伯父已经去世，“南瓜精”是舅妈、姨妈等晚上坐在他伯母鸦片榻畔闲谈时逗他的，还正色嘱咐他切莫告诉他母亲。锺书也怀疑是哄他，可是真有点耽心。他自说混沌，恐怕是事实。这也是家人所谓“痴气”的表现之一。

……

锺书小时最喜欢玩“石屋里的和尚”。我听他讲得津津有味，以为是什么有趣的游戏；原来只是一人盘腿坐在帐子里，放下帐门，披着一条被单，就是“石屋里的和尚”。我不懂那有什么好玩。他说好玩得很；晚上伯父伯母叫他早睡，他不肯，就玩“石屋里的和尚”，玩得很乐。所谓“玩”，不过是一个人盘腿坐着自言自语。这大概也算是

"痴气"吧。

钱绳武堂建成后，钱福炯率全家搬入。钱绳武堂占地二亩四分八厘八毫，分前后两进，第二进后还有个花园，这成了钱锺书等十来个兄弟姐妹们嬉戏的天堂。后来，钱基厚的五子钱锺鲁为我们留下了一册《无锡钱绳武堂沧桑史》。从这部自印的小册子里，我们也许可以还原钱锺书当年嬉戏玩耍的热闹情形：

> （钱绳武堂）第一进和第二进之间是一大天井，两旁有两个接雨水的绿色大水缸，我们兄弟常在此分成两队（玩）踢小皮球等游戏，非常欢乐热闹。
>
> ……
>
> 在寒暑假期中我们堂兄弟十余人在大厅中相聚，做"猫捉老鼠""捉迷藏"等游戏，欢乐叫喊之声，响彻大厅。有时两边放两张乒乓球桌，轮番进行单打和双打比赛。
>
> ……
>
> 第二进后是一小天井和高墙，也是通后花园的通道。高墙中间开一两扇大门通向后花园，这是又一处我们兄弟喜爱的场所。花园中四季花常开，春季桃花，夏季石榴花，秋季菊花，冬季腊梅花。春天花园中蝴蝶纷飞，将花园装扮得非常艳丽，花园中的瓜果累累，有里光桃、蜜桃、葡萄、石榴、桑果、鲜枣。爬在树上摘果吃，也是我们童年时代最大的乐趣。

除了嬉戏、玩乐，在伯父和父亲的教导下，钱锺书很早就走进了知识和艺术的殿堂。因为钱锺书和钱锺韩年龄相仿，所以他们俩在大学之前的教育轨迹基本是在一起的。民国2年（1913），钱基成开始教四岁的钱锺书识字。民国4年（1915），五岁的钱锺韩由母亲高氏授以方字。据《孙庵年谱》记载，高氏每天早晨在床前教锺韩认字。因为早晨精神好、口齿清、记忆真，识字效果良好。这样，日复一日，期年之后，钱锺韩已经能够认识一千多个字了。

同年，六岁的钱锺书进入秦氏小学。多年之后，他还记得小学里一次造句课，有一个比较句式："狗比猫大，牛比羊大。"可是，有个同学比来比去，只是"狗比狗大，狗比狗小"，结果挨了老师一顿骂。这样的教学内容相比于传统的读经教育显然有些"幼稚"，然而这就是新式小学里最初的上课情形。钱锺书在这种环境中上了不到半年，生了一场病。伯父舍不得他上学，借此让他停学在家。

民国5年（1916），七岁的钱锺书和六岁的钱锺韩开始在亲戚家的私塾里就学，锺书念《毛诗》，锺韩念《尔雅》，二人又走上了传统的教育之路。可是，在别人家附学总有不便，这时，钱基成提出让锺书和锺韩跟自己学。

为了这件事，基博、基厚还与大哥辩论了一番。基博、基厚说："大哥，现在知识越来越丰富了，在家里学习已经不能适应社会的发展了。"基成反问道："当今的学校教的都是日本、美国那一套，一个老师教一堆孩子，这能教好吗？更何况你们两兄弟都是我启蒙的，我还教不了他们吗？你们现在都出息了，我不敢说这是我的功劳，但是我教你们总算没有耽误你们吧！我觉得教育的成功与否不在于方法的多寡，而在于是否尽心。你们说呢？"基博、基厚兄弟听到这里，也就无话可说了。

就这样，锺书和锺韩开始在钱基成的教导下诵读古书。开始时，为了使锺书和锺韩发音准确、书写无误，钱基成重新为他俩点读了《尔雅》。为了学习方便，钱基博还为其重新编订了《尔雅》的次序。之后，堂兄弟俩开始在伯父的教授下，诵读《论语》《孟子》《毛诗》《左传》等书。空闲的时候，钱基成还指导锺书、锺韩广泛地涉猎子部、史部诸书，与他们俩一起讨论古今人物的是非得失。这样，久而久之，堂兄弟俩也能写两三百字的作文了。钱基成去世后，钱基博曾撰有《大哥述略》一篇。文曰：

> 大哥与基博、基厚燕居，语此未尝不色喜曰："吾昔教二弟，以睹有成。孰意今又教二弟之子，以渐冀其有成也。"基博、基厚意亦欣然於戏。自今以往，吾家"读书种子"之幸延绵不绝以相嬗于无尽。何莫非吾大哥之教以致此也夫！

除了经典，钱锺书还如饥似渴地阅读着各种小说。还记得伯父带钱锺书到茶馆吗？每次，伯父都给他租一本小说看。这个时候，钱锺书已经读过《西游记》《水浒传》《三国演义》等著名小说，因为这些小说在钱锺书的家中是有收藏的。但他在小摊上租来的书，家里是不藏的。关于钱锺书读小说和讲小说的经历，杨绛的《记钱锺书与〈围城〉》是这么记载的：

> 书摊上租来的《说唐》《济公传》《七侠五义》之类是不登大雅的，家里不藏。锺书吃了酥饼就孜孜看书，直到伯父叫他回家。回家后便手舞足蹈向两个弟弟演说他刚看的小说：李元霸或裴元庆或杨林一锤子把对手的枪打得弯弯曲曲等等。他纳闷儿的是，一条好汉只能在

一本书里称雄。关公若进了《说唐》，他的青龙偃月刀只有八十斤重，怎敌得过李元霸的那一对八百斤重的锤头子；李元霸若进了《西游记》，怎敌得过孙行者的一万三千斤的金箍棒。

十几岁后，住进钱绳武堂的钱锺书依然保持着看小说、讲故事的爱好。这时，听他讲的弟弟妹妹也越来越多了。钱锺鲁《勤奋好学的大哥钱锺书》一文为我们留下了这样一幕：

夏天炎热天气时我伯父和弟兄都在天井中乘凉。我们兄弟最喜欢的节目，就是听钱锺书大哥讲聊斋鬼故事。在锺书大哥乘凉躺椅的周围，坐满了我们听故事的小兄弟。锺书哥记忆许多聊斋故事，能如一千零一夜连续讲个没完没了，把狐鬼讲得活灵活现，使我们兄弟听得入神，久久不愿离去，他有时添油加浆，将凶恶的鬼怪讲得十分可怕，把我们听讲的兄弟吓得浑身抖擞，但我们越怕越爱听。听完故事后，在黑暗中我们还害怕凶恶神鬼出现，一个人单身不敢在黑暗中走路。

要做一个讲故事的人，首先需要肚子里有故事。肚子里的故事有的来自自己的亲身经历，有的就来源于书本。钱锺书酷爱读书，尤其是读各种惊心动魄的故事。在家，读的是中国故事；进入学校后，钱锺书还读到大量的外国故事，进而迷恋上世界文学。这应该就是他这一辈与上一辈的不同吧。

第二节　外出求学

一、东林小学

钱锺书

民国9年（1920），钱锺书、钱锺韩兄弟已经在伯父的教导下学习了三年。可是，就在这些年，中国的社会和教育形势又发生了巨大变化。民国4年（1915），陈独秀以《青年杂志》（后改名《新青年》）为主阵地，发起了新文化运动。民国6年（1917），胡適（1891—1962）在《新青年》上发表了《文学改良刍议》一文，吹响了白话文运动的号角。民国8年（1919）10月，全国教育联合会决议提请政府正式推行白话文。民国9年（1920）1月，北洋政府教育部发布了《小学国文科改授国语之部令》，要求从本年秋季开始，国民学校一、二年级改国文为白话文。4月，教育部又发布通告，明令国民学校其他各科教科书也改成白话文。

听到白话文运动的迅速发展，钱基博和钱基厚还是充满担忧。令钱基博、钱基厚担忧的不仅有白话文，而且还有算术，因为此时的算术和理化教育比他们15年前自修算学时不知已经进步了多少倍了。在这种情况下，钱基博和钱基厚决定送他们的儿子进新式学校就读。

几十年后，钱锺韩曾出版过一本《钱锺韩教授文集》。在文集的《谈自学》一文中，钱锺韩对当时准备入学考试的情形进行了如下描述：

（当时）最严重的缺陷就是没有学过算术，没有学过加减乘除。后来家里亦看到时代不同了（那时已是1920年），才同意我们进入公立小学，直接插入"高等小学"，相当于现在的五年级。为了应付升学考试，在暑假里临时突击学会阿拉伯数字，学点加减乘除。

锺书、锺韩兄弟进入的公立小学是无锡县立第二高等小学。提起这所小学，我们可有聊头，因为它的历史可以追溯到九百年前的宋朝。这所学校的前身就是历史上享有盛名的东林书院。东林书院创建于北宋政和元年（1111），是当时著名学者杨时（1053—1135）讲学的地方。杨时去世后，东林书院曾一度荒废。明万历三十二年（1604），著名思想家顾宪成（1550—1612）修复了东林书院，并偕高攀龙（1562—1626）等人在此聚众讲学。此后，东林党的崛起使东林书院名声大噪。

清光绪二十八年（1902），陶云祖按照清政府的诏令，改东林书院为东林高等小学堂。民国2年（1913），东林高等小学堂改名无锡县立第二高等小学，但人们仍习惯称它为东林小学。从民国2年（1913）到民国4年（1915），钱锺书的父亲钱基博曾在这里兼任了两年的理科教员。

东林小学使钱锺书和钱锺韩步入了新的殿堂。在这所拥有丽泽堂、依庸堂、再得草庐、燕居等建筑的学堂学习，的确是钱锺书和钱锺韩的荣幸。按照学校的规定，每周四全体师生都会集中在依庸堂听校长训话。校长经常会给大家讲一些东林书院前辈身上的故事，诸如杨时的“程门立雪”，顾宪成、高攀龙等人的“东林党争”。碰巧的是，钱锺韩的母亲高珍正是高攀龙伯父高明伯十一世孙高汝琳的长女。当他听到有关自己祖辈的故事时，想必会有一些别样的感触吧。

当锺书、锺韩兄弟在东林小学就读的时候，锺书的父亲钱基博正在江苏省立第三师范学校担任国文教员。据钱锺韩回忆，每天下午放学，伯父钱基博就让他和锺书到三师自修或学习古文。等到三师学生吃过晚饭，伯父才带他俩回家。这是钱基博对锺书和锺韩进行国文教育的好机会。

正是由于家学渊源和兴趣使然，锺书、锺韩的国文根底比较深，作文几乎每次都名列前茅。东林小学的学生、钱锺书的下一届校友姚方勉曾作过一篇《三年东林小学生活》。他在文中写道：

> 记得在再得草庐后面的走廊里，设有一个学生成绩揭示处，我曾见到过许多好文章，其中署名的，大多是钱锺书、钱锺韩、孙佐钰、姚宏胄等同学。他们是我上一届同学，因此引起我的注意和敬佩。

另一位东林小学的学生邹文海在《忆钱锺书》中也说过：

> 记得那时候他（指钱锺书）的小楷用墨甚淡，难得有一个字能规规矩矩地写在方格之中，可是先生对他文章的评语，常是“眼大于

箕”或“爽若哀梨”等佳评。他常常做些小考证，例如巨无霸腰大十围，他认为一围不是人臂的一抱，而只是四个手指的一合……

虽然兄弟俩的国文水平很高，但是因为上小学之前没有学过数学，所以他们的数学成绩很不理想。邹文海在《忆钱锺书》一文中曾回忆：

先严督责我读书时，常引他为话题，总是说：“我过钱家，每回都听到锺书书声琅琅，谁像你一回家就书角都不翻了！”父亲的训斥，引起我对锺书君的反感，“什么了不起，还不像我一样，数学糟透顶，只有国文能揭示”。

钱锺书是一个偏科很严重的人，他的国文成绩非常好，但是他的数学成绩却糟糕透顶。他对数学一点兴趣也没有，想必回家后基本不翻数学课本的书角吧。

与钱锺书一样，刚进入小学时，钱锺韩的数学成绩也很糟糕。他在《谈自学》中曾写道：“进入高小后，由于缺了四年基础教育，学习困难很大，学校里有一套功课，有一套作业（当然比现在少得多，浅得多）。家里却从不过问，只是另行安排一些课外学习任务：继续读些古典文学，读些中国历史，写些议论文章。在这几年里学得很狼狈，成绩不佳，有时还不及格，只能靠自己的阅读能力来勉强应付功课。”钱锺韩说的“成绩不佳，有时还不及格”指的就是数学了。

但是，面对如此难懂的数学，钱锺书和钱锺韩有不同的应对办法。钱锺书的应对办法是干脆不学数学了，因为学数学对他来说简直是一种煎熬。钱锺韩则不同，逸公在《钱锺韩——善于扬长避短的人》一文中回忆：“他没有灰心，反而增强了学习算术的兴趣。他努力自学，找来算术方面的参考书，从小学到初中，渐渐地学出了门道。他看出数字也是一种文字，一种语言，可以用来自由表达自己的想法，解数学题目，可以有自己的特色，不必千篇一律。”后来，钱锺韩的数学天分渐渐显露出来。

二、桃坞、辅仁中学

民国12年（1923），钱锺书和钱锺韩一起考进了苏州桃坞中学。这是兄弟俩第一次长时间离开无锡。桃坞中学是一所由美国基督教圣公会创办的教会学校，建于清光绪二十八年（1902），光绪三十四年（1908）正式定名。因为是教会学校，所以桃坞中学的校长是外国传教士，外语全部由外籍老师上课，其他许多课也多用英语讲授。当时学校设有初、高两部，锺书、锺韩兄弟进的是初中部。

因为优厚的外籍师资，所以桃坞中学在外语教学方面有着得天独厚的优势。钱锺韩在《谈自学》中回忆：

> 后来读初中，进入一个外国教会办的教会学校，它的教育要求另有一套，对英语非常重视，而数理课程则相当落后。根据当时条件，它的毕业生希望进洋行当职员；最高目标是升入上海圣约翰大学，以后可以直接去美国留学。除了外语课选用英文名著之外，其他一些课程，如数学、地理、历史的教科书都是英文版的；这些课本比文学著作还要难读。讲课用英语，考卷亦用英文写，因此，英语很快达到了“四会”（会听、会说、会读、会写）的水平。

进入桃坞中学，钱锺书的国文课程还是一如既往地好。按照惯例，桃坞中学每年都会举行一场中文和英文作文竞赛，竞赛面向初中和高中全体学生。入校没多久，钱锺书第一次参加了桃坞中学的作文竞赛。最终，他的中文作文获得了全校第七名。这个成绩对于一个刚入学的初中生而言是相当难得的。

除了国文，进入桃坞中学的钱锺书还开始广泛学习英文、阅读英文名著。其实，早在考入桃坞中学前，钱锺书就开始大量阅读汉译世界名著了。林纾（1852—1924）是中国近代著名的文学家，在翻译界久负盛名。他从清光绪二十三年（1897）开始到民国13年（1924）去世，共翻译了180多部西洋小说。翻译速度之快，令众人瞠目结舌。当时，十多岁的钱锺书正是读了林纾的翻译小说才喜欢上英文的。20世纪60年代，钱锺书曾写过一篇《林纾的翻译》，对自己阅读林译小说进而喜欢英语的故事有详细的记载：

> 林纾的翻译所起“媒”的作用，已经是文学史公认的事实。他对若干读者，也一定有过歌德所说的“媒”的影响，引导他们去跟原作发生直接关系。我自己就是读了林译而增加学习外国语文的兴趣的。商务印书馆发行的那两小箱《林译小说丛书》是我十一二岁时的大发现，带领我进了一个新天地，一个在《水浒》《西游记》《聊斋志异》以外另辟的世界。我事先也看过梁启超译的《十五小豪杰》、周桂笙译的侦探小说等，都觉得沉闷乏味。接触了林译，我才知道西洋小说会那么迷人。我把林译哈葛德、迭更司、欧文、司各德、斯威佛特的作品反复不厌地阅览。假如我当时学习英语有什么自己意识到的动机，其中之一就是有一天能够痛痛快快地读遍哈葛德以及旁人的探险小说。

进入桃坞中学后，钱锺书开始如饥似渴地学习英文，并且也迷恋上了英文原版小说。在桃坞中学，他整本整本地阅读着《圣经》《天演论》等西方原著，英文成绩也得到迅速提升。到初三时，他的英文成绩已经位居全校榜首。这是阅读西方原著给他带来的好处。

但是因为沉迷外文名著，他的国文表现却一度遭到父亲的不满。为此，他又挨了父亲的痛打。杨绛的《记钱锺书与〈围城〉》记录了这一事件的全过程：

> (1925年秋) 他父亲到北京清华大学任教，寒假没回家。锺书寒假回家没有严父管束，更是快活。他借了大批的《小说世界》《红玫瑰》《紫罗兰》等刊物恣意阅读。暑假他父亲归途阻塞，到天津改乘轮船，转辗回家，假期已过了一半。他父亲回家第一事是命锺书、锺韩各做一篇文章；锺韩的一篇颇受夸赞，锺书的一篇不文不白，用字庸俗，他父亲气得把他痛打一顿，锺书忍笑向我形容他当时的窘况：家人都在院子里乘凉，他一人还在大厅上，挨了打又痛又羞，呜呜地哭。这顿打虽然没有起“豁然开通”的作用，却也激起了发奋读书的志气。锺书从此用功读书，作文大有进步。他有时不按父亲教导的方法作古文，嵌些骈骊，倒也受到父亲赞许。他也开始学着作诗，只是并不请教父亲。

遭到父亲的痛打，钱锺书似有反省之意。从此，他开始同时攻读英文和国文。后来，他这种中西兼顾的学习方法，果然收到了中西合璧之效。二十多年后，钱锺书曾写成一部“广采西方人文、社会科学新学来诠评中国古典诗学诗艺”的《谈艺录》。又过了三十多年，《谈艺录》补订本出版。在文中，钱锺书对自己挨打后跟随父亲学习古文辞的事情记忆犹新。文曰：

> 余十六岁与从弟锺韩自苏州一美国教会中学返家度暑假，先君适自北京归，命同为文课，乃得知《古文辞类纂》《骈体文钞》《十八家诗钞》等书。绝鲜解会，而乔作娱赏，追思自笑，殆如牛浦郎之念唐诗。

《古文辞类纂》是清桐城派姚鼐（1732—1815）所编，全书共75卷，选录战国至清代的古文，依文体分为论辨、序跋、奏议、书说、赠序、诏令、传状、碑志、杂记、箴铭、颂赞、辞赋、哀祭等十三类。《十八家诗钞》为曾国藩所编，共28卷，选录了从魏晋南北朝到元代十八家的古、近体诗6599首。值得一提的是《骈体文钞》。该书共31卷，辑录了从先秦至隋代的骈体文774篇。我们特意要说的是它的作者李兆洛。李兆洛是钱基博曾祖钱若浩的好友，也是他的祖父钱维桢的老师。钱基博选《骈体文钞》作为子侄的古文读本，这也可以看出钱氏家族的家学渊源。

民国16年（1927），桃坞中学停办。原因有二：一方面，北伐军占领江沪一带，桃坞中学在政局动荡中无以为继；另一方面，因教育政策原因，桃坞中学面临巨大的办学压力。民国建立后，收回外国教育权的运动如火如荼地开展起来。民国15年（1926），广东国民政府教育行政委员会相继颁布了《私立学校规程》《私立学校校董会设立规程》《私立学校立案规程》等法规。《私立学校规程》规定：私立学校“须受教育行政机关之监督及指导”，“不得以外国人为校长”，“不得以宗教科目为必修课，亦不得课内作宗教宣传”，“如有宗教仪式，不得强迫学生参加”，

“凡未经立案之私立学校，应于本规程颁布后依限呈请立案”。但是，身为教会学校的桃坞中学未能按照规程整编，所以在民国16年（1927）不得不暂停办学。

桃坞中学停办后，锺书、锺韩兄弟又一同考进无锡辅仁中学。辅仁中学是由上海圣约翰大学无锡同学会的会友们集资创办的私立学校，建于民国7年（1918），校名取自《论语》中的“君子以文会友，以友辅仁”。因为与教会学校圣约翰大学的联系，辅仁大学对英文也非常重视，教材直接使用英文版，教师授课也用英语，这对锺书、锺韩英文成绩的进一步提高有很大帮助。

因为兄弟俩是从桃坞中学高一肄业，所以他们直接插到辅仁中学高二班就读。就在高二这年，辅仁中学举行了国文、英文、数学三方面的全校竞赛。结果，钱锺书得了国文和英文的第一名，而钱锺韩得了国文与英文的第二名、数学的第一名。这在全校引起了轰动，因为他们不敢相信国文、英文、数学的第一名竟然全都收到钱氏兄弟的囊中。

就在兄弟俩就读辅仁中学的同时，钱基博开始在无锡国专兼任国文教授。无锡国专最初地处惠山之麓，距离钱氏宗祠很近，后来又在无锡县学宫左侧建设新居。而钱绳武堂距离无锡县学宫极近，大概只有300米，这对于钱基博往返绳武堂与国专之间是一个极大的方便。按照计划，钱基博每周五下午回无锡，当晚到国专讲两个小时，周六上午再讲两个小时，周日早上返回上海。尽管时间紧迫，但是钱基博绝不肯放过教育子侄的机会。他要求锺书和锺韩每周五晚上都要去听他在国专的课。这样，钱锺书又聆听了父亲很多有关国学的教诲。

自从挨了父亲的痛打后，钱锺书的国文水平似乎与日俱增。考入辅仁中学后，钱锺书已经十八岁了。这时，钱基博开始训练锺书代写书信和文章。杨绛曾说过：我常见锺书写客套信从不起草，提笔就写，八行笺上，几次抬头，写来恰好八行，一行不多，一行不少。锺书说，那都是他父亲训练出来的，他额角上挨了不少“爆栗子”呢。

因为训练有素，钱锺书的文章与父亲的风格越来越像。在辅仁中学就读时，钱锺书开始代写文章。据杨绛回忆：

> 锺书考入清华之前，已不复挨打而是父亲得意的儿子了。一次他代父亲为乡下某大户作了一篇墓志铭。那天午饭时，锺书的姆妈听见他父亲对他母亲称赞那篇文章，快活得按捺不住，立即去通风报信，当着他伯母对他说：“阿大啊，爹爹称赞你呢！说你文章做得好！”锺书是第一次听到父亲称赞，也和姆妈一样高兴，所以至今还记得清清楚楚。

无锡有句乡谚，叫“天下爷娘护小儿”。但钱锺书是钱基博的长子，也是他最器重的儿子，更是他管教最严厉的儿子。从钱锺书的多次挨打中，我们就能看出钱基博对钱锺书的管教之严。但杨绛在《我们仨》一书中也说过：“爱之深则责之严，但严父的架势掩不没慈父的真情。锺书虽然从小怕爹爹，但父子之情还是很诚挚的。”钱基博之所以无数次督导钱锺书学习古文辞，这正是他在给锺书立志啊！因为钱基博知道，钱锺书是从事国学的料子，他也相信锺书能够“青出于蓝而胜于蓝”。

三、清华大学

民国18年（1929），钱锺书和钱锺韩从辅仁中学毕业。据《孙庵年谱》记载："锺书国、英文有特长，而锺韩数理较好，各科成绩亦平均，故毕业时名列第一，与锺书均获优奖。旋锺书录取北京清华大学（外国语文学系），入校肄业，而锺韩则北京清华大学及上海交通大学均录取第二名，在上海交通大学电机系肄业。"这是钱锺韩与钱锺书在学校、专业上分道扬镳的开始。

钱锺韩为什么要选择上海交通大学电机系呢？我们似乎可以从他的《谈自学》一文中找到答案。他说："自己早就知道不是学文学或哲学的料子，因为在那些领域里，如果没有天才和灵感，就没有出头的日子。我立志要学理工，走自己的路；要离开他们远一点，可以少受一点批评，减少一点心理上的压力。我亦觉得学理工比较实事求是，注重逻辑思维，比学文科容易得多。"

近60年后的1987年，全国政协六届五次会议在京召开。身为第六届全国政协委员的钱锺韩、钱锺泰赴京开会。当时，同是全国政协委员的钱锺书因为生病，告假在家。会后，钱锺韩、钱锺泰赶往堂兄家看望他，《瞭望周刊》的记者也跟随前往。在南沙沟钱家，钱锺书、钱锺韩兄弟触景生情、遇故怀旧，又回忆起他俩的青少年时代：

> （钱锺韩）告诉我们（记者），他选择工科作专业，和钱锺书还有一定关系。他说："我小学、中学都和锺书在一起读书。我们家是搞古代文学的，所以我们的古文都有一定基础。可是慢慢我发现，锺书在

文学上很有天才，我比不上他。我觉得他已经选择了文学，我再去搞没前途。我感到人应该用其所长，我这人逻辑性强，于是我就改学了工科。”

钱锺书觉得堂弟太谦虚了，便说：“他在学校功课比我好，考清华时，他是第二名，我才第五十几名。”钱锺韩忙分辩道：“我是门门功课差不多，没表现出哪方面有天才。”

民国18年（1929），清华大学录取学生200多名，钱锺韩考取了第二名，而钱锺书则考取了第五十七名。正如钱锺韩所说，钱锺书在中、英文方面是个天才，分数极优。但他的数学就要用“极差”来形容，仅仅考了15分。15分距离及格线60分还差得太远。一个数学15分的学生能够进清华，这在今天看来简直不可思议。但在当年的清华，这件事却成了事实，而且也成了清华校史上的一桩美谈。在这里，我们不得不提及当年清华大学的校长罗家伦（1897—1969）。

罗家伦可以说是清华校史上的一大奇人和一位功臣。民国17年（1928），刚过而立之年的罗家伦出任清华学校的校长。同年，罗家伦将清华大学由教会学校改为国立大学，这对于清华大学是一件破天荒的事情。而且，就在这一年的秋季招生期间，罗家伦在清华大学的招生简章上写下了“男女兼收”，他的这一举动使清华大学开了女禁，也可以算作他在清华大学的开拓之功。

因此，罗家伦校长给大家的印象一直以“敢作敢为”著称。他的“敢作敢为”也影响了钱锺书的一生。本来，钱锺书数学考了15分是不可能被清华大学录取的。但是，罗家伦校长鉴于他出众的中文、英语成绩，决定破格录取他。其实，在民国6年（1917），罗家伦参加了北京大学在上海的招生考试。他的作文得了满分，但数学却考了零分。后来在作文阅卷老师胡适的提议和北大校长蔡元培（1868—1940）的支持下，罗家伦最终被破格录取为北京大学的学生。

如今，罗家伦担任了清华大学的校长。当他见到这位只比自己小13岁的钱锺书的国文和英文试卷时，当年自己被破格录取的场景又浮现脑海，一种惺惺相惜的感觉也油然而生。是年秋，罗家伦特意邀请钱锺书到校长办公室谈话。经过交谈，罗家伦觉得钱锺书机智灵敏、对答如流，是一个能成大才的“读书种子”，于是特准钱锺书入学就读。听到这一消息，钱锺书激动万分，并弯腰鞠躬向罗家伦校长致谢。

进入清华大学，钱锺书开始尽情施展自己的才华。但是，在施展才华的背后，则是他勤学苦读的身影。如今，在文化界盛传着一则钱锺书横扫图书馆的故事。这则故事绝对真实，因为该故事得到多个回忆录的证实。钱锺书的宗亲钱穆在《八十忆双亲　师友杂忆》中回忆：

> 及余去清华大学任教，锺书亦在清华外文系为学生，而兼通中西文学，博及群书。

钱锺书的大学同学饶馀威在《清华的回忆》一文中也写道：

> 同学中我们受钱锺书的影响最大。他的中英文造诣很深，又精于哲学及心理学，终日博览中西新旧书籍，最怪的是上课时从不记笔记，只带一本和课堂无关的闲书，一面听讲一面看自己的书，但是考试时总是第一，他自己喜欢读书，也鼓励别人读书。

钱锺书在读书上有两种方法，一是写眉批或画线，另一个就是做札记。在《清华的回忆》中，饶馀威还回忆说：

> （钱锺书）有一个怪癖，看书时喜欢用又黑又粗的笔画下佳句，又在书旁加上他的评语，清华藏书中的画线和评语大都是出自此君之手笔。

写眉批或画线对于记忆力甚好的钱锺书相当有用，因为它不仅方便，而且迅速。但是在图书馆的书籍上写、画似有不雅，所以钱锺书还有另外一招，那就是做札记，只不过这种读书方法就慢了许多。

钱锺书的另一位同学许振德在《忆钱锺书兄》一文中说：

> （钱锺书）家学渊源，经史子集，无所不读；一目十行，过目成诵，自谓“无书不读，百家为通”。在校时，以一周读中文经典，一周阅欧美名著，交互行之，四年如一日。每赴图书馆借书还书，必抱五六巨册，且奔且驰。且阅毕一册，必作札记，美哲爱迪生所谓天才乃百分之九十九之血汗及百分之一之灵感合成之语，证之钱兄而益信其不谬。

写眉批、画线和做札记是钱锺书从伯父、父亲那里得来的读书方法，看似原始，但相当奏效。后来，钱锺书就利用日益积累的笔记撰成了《谈艺录》《管锥编》等经典著作。钱锺书去世后，他的夫人杨绛还精心整理出版了钱锺书的若干笔记，是为《钱锺书手稿集》。

民国19年（1930）暑假，钱锺书回到无锡。此时，宗亲钱穆已经完成了《国学概论》的写作，他给钱基博宗长写了一封信，请求宗长为自己的新书写一篇序。《国学概论》动笔于民国15年（1926），当时钱穆正在担任江苏省立三师四年级的国文教员。民国16年（1927），钱穆转到苏州大学任教。这时，《国学概论》仅完成一半。在随后的两年中，《国学概论》书稿陆续完成。

在国学界，钱穆对钱基博宗长推崇备至，且与其相交甚厚。他在《八十忆双亲　师友杂忆》中说："余在中学任教，集美、无锡、苏州三处，积八年之久，同事逾百人，最敬事者，首推子泉（钱基博字）。生平相交，治学之勤，待人之厚，亦首推子泉。"因此，《国学概论》每完成一章，钱穆都会把油印本寄给钱基博，请其先睹为快并做批评指正。当时，钱锺书正就读于辅仁中学，想必也和父亲一起读了《国学概论》的每一个章节，并逐渐有了自己的想法。

民国19年（1930），当钱穆求序的时候，钱基博就将这项光荣的任务交给了儿子。一来，钱锺书早已经帮他写过应酬文章，而且文采飞扬，颇得好评；二来，钱锺书已经读过《国学概论》全文，钱基博希望借此来考察钱锺书在清华大学一年的学习成果。就这样，一篇由钱锺书代笔的《国学概论》序顺利出炉了。据杨绛回忆："那时商务印书馆出版钱穆的一本书，上有锺书父亲的序文。据锺书告诉我，那是他代写的，一字没有改动。"这篇序指的正是《国学概论》序。我们不妨摘引数句，以窥钱锺书当年序文之貌：

> 宾四（钱穆字）此书，属稿三数年前。每一章就，辄以油印本相寄，要余先睹之。予病懒，不自收拾，书缺有间，惟九章"清代考证学"、十章"最近期之学术思想"以邮致最后得存。余八章余皆亡之矣。虽然，其自出手眼，于古人貌异心同之故，用思直到圣处，则读九、十两章，而全书固可以三隅反者也。第十章所论，皆并世学人，有

钳我市朝之惧，未敢置啄（当作“喙”）。第九章竟体精审，然称说黄梨洲、顾亭林、王船山、颜习斋而不及毛奇龄，是叙清学之始，未为周匝也。殿以黄元同、俞荫甫、孙仲容而不及陈澧，是述清学之终，未为具尽也。……宾四日进无疆，而余执不全之本、未是之稿，以定宾四之所新得，于是乎不足以尽宾四矣。虽然，苟征之鄙说而不期以合，则予与宾四冥契于无言之表，方且诵杜陵“吾宗老孙子”之语，而相视以笑，莫逆于心也。宗人基博谨序。十九年七月。

从结尾的“宗人基博谨序。十九年七月”，我们知道该文是钱锺书在民国19年（1930）7月以父亲的名义写给钱穆的序。按照惯例，前辈写给晚辈的序大都以提携、夸奖为主，但本篇与此不同。我们从“未为周匝”“未为具尽”这些字眼可以看出钱锺书对《国学概论》书稿相关篇章的不同意见。但是，全篇发表不同见解，对于该书的出版肯定不利。所以，在结尾处，序文又用一种自谦的口吻表达了对钱穆的肯定，希望序作者与书作者能够“相视以笑，莫逆于心”。刘桂秋在《无锡时期的钱基博与钱锺书》一书中说，这种写作方式无疑是“典型的钱锺书风格”。

考上清华大学后，钱锺书与父亲钱基博的交流就主要通过书信了。杨绛回忆说：“他父亲（指钱基博）收藏的‘先儿家书’是那时候开始的。他父亲身后，锺书才知道父亲把他的每一封信都贴在本子上珍藏。信写得非常有趣，对老师、同学都有生动的描写。可惜锺书所有的家书（包括写给我的），都由‘回禄君’收集去了。”

“回禄君”为火神之名，“由‘回禄君’收集”即指“先儿家书”被火所焚。这把火是谁放的呢？原来，晚年的钱基博曾将书信、笔记、文稿等全部物品赠给了女儿钱锺霞和女婿石声淮。可是，当声势浩大的“文化大革命”来临时，全国各地的大部分古物都被当事人或红卫兵付之一炬，这本小小的“先儿家书”当然也未能幸免于难。

“先儿家书”永远也不可能复原了。但是，我们从当年的期刊上找到了钱基博写给儿子的两封家信。因为钱锺书在清华就读时，钱基博正在担任光华大学的国文系主任兼文学院院长。他曾经将自己写给儿子的信登在光华大学的校刊《光华半月刊》上。

在《光华半月刊》第1卷第4期，我们找到了这篇题为“谕儿锺书札两通”的家信。第一封家信写于民国20年（1931）10月31日，主要是围绕温源宁教授想介绍钱锺书到英国伦敦大学东方语言学院教中国语文展开的；第二封作于民国21年（1932）11月17日，当时钱基博收到儿子的来信和《大公报》、《新月》杂志，知道钱锺书在各大杂志发表文章，这封回信就是借此而对钱锺书的告诫。《谕儿锺书札两通》基本都是对钱锺书的劝勉和期望，但中间也穿插着整个钱氏家族的为人、为学之道，对于绍续钱氏家风、传承钱氏家学有重大益处。因此，我们有必要全文照录这两通书信。

谕儿锺书札两通

钱基博

昨日到家，得高昌运（**钱基厚内弟**）兄并汝航空快信，悉温源宁师招汝入城，欲介绍往伦敦大学东方语文学院教中国语文。去不去又是一说；而温师此番有意玉汝于成，总属可感！然儿勿太自喜！儿之天分学力，我之所知；将来高名厚实，儿所自有！然何以副（**负**）师父之教，不负所学，则尚待儿之自力！立身务正大，待人务忠恕。我见时贤声名愈大，设心愈坏；地位愈高，做人愈错；未尝不太息痛恨，以为造物不仁，何乃为虎生翼！甚非所望于吾儿也！做一仁人君子，比做一名士尤切要！所望立定脚跟，善体吾意！不然，以汝之记丑而博，笔舌犀利，而或操之以逆险之心，出之为僻坚之行，则汝之学力愈进，社会之危险愈大！在世眼见为名流，在吾家岂即亢宗！吾兄弟意气纵横，熟贯二十一史，议论古今人成败，如操左右券，下笔千言，洒洒不自休；而一生兢兢自持，惟恐或入歧途。以此落落寡合，意有所郁结不得摅，吾遁于文章以为娱嬉，而汝季父（**指钱基厚**）则终老其才于乡里。汝季父知计绝人，而窥其生平，未尝敢做一损人利己之事，未敢取一非分不义之财。吾兄弟白首相见，未尝不以此为勖，汝与诸弟所亲见也！子弟中，自以汝与锺韩为秀出，然锺韩厚重少文，而好深沉之思，独汝才辩纵横，神采飞扬，而沈潜远不如！勿以才华超绝时贤为喜，而以学养不及古圣贤人为愧！吾与汝季父生当末世，无力禁止社会之一切恶化，然至少必尽力制止子弟不许恶化，以增进中国之危险。纬、英两儿中资，不能为大善，亦无力为大恶，独汝才辩可喜；然才辩而或恶化，则尤可危！吾之所谓恶化，亦绝非寻常子弟之过。世所推称一般之名流伟人，自吾观之，皆恶化也，皆增进危险于中国者也！汝头角渐露，须认清路头；故不得不为汝谆谆言之！

哑泉（**钱基博字子泉，又字哑泉**）

二十年十月三十一日

叠阅来书及《大公报》《新月》杂志，知与时贤往还，文字大忙！又见汝与张杰书云，孔子是乡绅，陶潜亦折腰。看似名隽，其实轻薄！在儿一团高兴，在我殊以为戚！以儿天资卓荦，博闻强识，正如王僧虔之于王俭所谓"我不患此儿无名，政恐名太盛耳"！《南史》称王僧虔"文情鸿丽，学解深拔，韬光潜实，物莫之窥"。吾尝叹为其文其学可及，其养不可及！愿儿师之法之！我自粗有名字，汝又头角崭露；我父子非修名不立之难，修名何以善其后之难！假如政治有办法，社会上轨道，以儿之真积力久，实至自然名归！不然，高名徒以为累！父母之于子女，责任有尽，意思无穷；况儿聪明早慧我所厚望！现在外间物论，谓汝文章胜我，学问过我，我固心喜！然不如人称汝笃实过我，力行胜我，我心尤慰！清识难尚，何如至德可师！淡泊明志，宁静致远，我望汝为诸葛公、陶渊明，不喜汝为胡適之、徐志摩。如以犀利之笔，发激宕之论，而迎合社会浮动浅薄之心理，倾动一世；今之名流硕彦，皆自此出。得名最易，造孽实大！庄生所以叹圣知之祸，而非我之所望于儿也！吾儿读破万卷书，意趣识见，总须不为流俗所囿！《三国志》《南北史》《五代史》，暇可常读。即知古来才人杰士，乱世如何处法；或显世抗厉，或混迹齐凡。其中亦有恃其聪明才知，祸国殃民以自殃祸者！何去何从，切己体察，此乃真实学问！傥或予智自雄，忍俊不禁，异日必贻无穷之悔；思之重思之！我涉世三十年，无事不退一步；应得之名勿得，应取之财勿取；人或笑为拙，而在我则世味稍恬，意趣转长！老子所谓治人事天莫若啬也！总之，学问贵乎自得，际遇壹任自然；从容大雅，勿急功近名，即此便征识量。黄仲苏先生信来，极念汝。我无日不为疾痛所苦；而此间亦有好学深思之士，则亦以自慰！锺英在此，文章渐入遒古；聆我讲说，亦有赏会。此亦可喜！我现课之读《六朝文絜》。追逐阿兄，固非所望，或能绍我家学也。我自力者如此，其余付之悠悠而已！不一。

哑泉

二十一年十一月十七日

通读以上两封家书，我们有这样一种感觉：这不仅是钱基博对儿子钱锺书的谆谆教导，实际上也是钱基博、钱基厚兄弟的“夫子自道”。两篇书信涉及钱基博、钱锺书、钱锺纬、钱锺英父子和钱基厚、钱锺韩父子。钱基博总结了自己这一辈的为人处世之道，那就是“兢兢自持”；两篇书信有一个共同主旨，那就是希望钱锺书等子侄“淡泊明志，宁静致远”，“学问贵乎自得，际遇壹任自然”。

四、牛津、巴黎大学

民国22年（1933）夏，钱锺书从清华大学毕业。因为当时日本帝国主义已经将战火烧向热河，华北局势危急。清华大学当局为了学生的安全，没有为第五级同学举行毕业考试和毕业仪式，就批准他们提前毕业、离校了。虽然没有参加毕业考试，但学校依然给钱锺书这一级学生发了毕业证。毕业证是学位证与学历证的结合。我们在汤晏著的《一代才子钱锺书》一书的扉页看到了钱锺书毕业证书的复印件，其文字如下：

毕业证书

学生钱锺书系江苏省无锡县人，现年二十三岁，在本校文学院外国语文系修业期满，成绩及格，准予毕业，得称文学士。此证。

国立清华大学校长梅贻琦

教务长张子高

文学院长冯友兰

中华民国二十二年六月二十二日

就在钱锺书从清华大学毕业的同时，他的堂弟钱锺韩也从国立交通大学毕业。据《孙庵年谱》记载："长子锺韩在国立交通大学电机系毕业，成绩为全校之冠，获有国内外著名奖金多种。"钱锺韩在交通大学八个学期的平均成绩为93.4分，这打破了交大历史上平均90分的最高纪录。

同年夏，江苏省举行第一届中英庚款公费留学考试。教育部公布的《国外留学规程》第八条规定："凡具有下列资格之一者，得报名考试。一、国内外公立或已立案之私立专科以上学校毕业，并曾任与所习学科有关之技术职务二年以上者。……"从这条规定看，钱锺韩并不具备参加留学生考试的资格。但是，因为他成绩特优，所以未经服务就被保送应试。

结果，钱锺韩以80分的总成绩名列榜首，比第二名竟高出了31分，极高的国文成绩甚至把阅卷老师都吓了一跳。钱基厚在《孙庵年谱》写道："时阅国文卷者为丹徒柳诒徽氏，故江南名宿也，得卷亦以为老师宿儒，及拆弥封，乃知年甚少，且攻实科，叹为中西淹贯，实不易得。"是年秋，钱锺韩抵达英国，并前往伦敦大学帝国理工学院做研究生。

民国23年（1934），钱锺书的二弟锺纬亦赴英国留学。据《孙庵年谱》记载："叔兄为次侄锺纬娶同邑秦氏女溶方，旧友秦君颂石之次女也，婚后即赴英留学，在曼却斯脱（即曼彻斯特）波耳敦纺织工程专科学校（又译作波尔顿工业学院）肄业，后以成绩优异，亦得江苏省公费补助。”

钱锺韩、钱锺纬陆续出国了，但钱锺书出国的愿望却到民国24年（1935）才实现。因为没有参加毕业考试，所以他不可能像钱锺韩那样因成绩特优而免去两年的服务时间。钱锺书不得不在光华大学老老实实当上两年的英语教师。民国24年（1935），钱锺书参加了第三届中英庚款公费留学考试，结果考取了87.95分，不仅名列榜首，而且刷新了历届中英庚款考试成绩的最高纪录。

在这里，我们顺便交代一下无锡钱氏子孙在三届中英庚款考试中所取得的成就。《孙庵年谱》说：“（在庚款录取名单中）同届纺织系钱宝钧，亦新渎桥族人也，其第二届录取之光学系钱临照，则鸿声里族人伯圭之子。至是及余子侄公费留英者，计无锡同族有四人，而吾家实得二人焉。”在四位钱姓留学生中，钱锺韩和钱锺书是堠山钱氏，而钱宝钧和钱临照则是湖头钱氏，与钱穆同谱。查钱氏家谱，我们可知，钱宝钧为钱镠十五世孙钱士元的次子钱恒之后，而钱临照则为钱士元的五子钱复之后。

民国24年（1935）8月13日，钱锺书搭乘一艘英国船离开了上海。与他同行的是新婚妻子杨绛，杨绛也到英国留学，不过是自费生。半个月后，轮船顺利抵达伦敦。但是，因为经受了海上风浪的洗礼，到伦敦后又赶上持续的阴雨天气，钱锺书患上了风湿病，疼痛难忍。不过好在钱锺书的堂弟锺韩、二弟锺纬此时正在英国，知道大哥来到伦敦，他们二位纷纷赶来探望。《伦敦晤文武二弟》一诗正表达了钱锺书与锺韩、锺纬相见时的欢愉心情。这首诗来自《槐聚诗存》（钱锺书自号槐聚），我们不妨恭录如下：

伦敦晤文武二弟

见我自乡至，欣如汝返乡。

看频疑梦寐，语杂问家常。

既及尊亲辈，不遗婢仆行。

青春堪结伴，归计未须忙。

《〈槐聚诗存〉注译稿》对这首诗翻译如下：

看见我们从故乡来到，高兴得像你返回故乡。

我疑是梦中，反复端详；你语无伦次，问起家常。既关心父母辈的老人，没忘记家人等同乡。

青春年华该结伴游学，回乡的计划不必着忙。

当钱锺书抵达英国的时候，钱锺韩已经在伦敦帝国理工学院学习了两年的机械工程专业，当时开始在工厂实习。据杨绛在《我们仨》中记载："我们第一次到伦敦时，锺书的堂弟锺韩带我们参观大英博物馆和几个有名的画廊以及蜡人馆等处。这个暑假他一人骑了一辆自行车旅游德国和北欧，并到工厂实习。"

随后两年，钱锺韩又去了瑞典通用电机电气公司实习，并于民国26年（1937）夏回国，直接前往国立浙江大学担任教授。钱锺韩在英国并没有获得学位，《孙庵年谱》解释说："鉴于博士头衔不尽适于国用，特奉部准，注重实习，不读学位。"

与此同时，钱锺纬已经在波尔顿工业学院学习了一年。随后，他又在英国好华特纺厂及多助泼利脱机器厂实习。实习之后，钱锺纬学成回国，开始成为荣氏家族创办的申新纺织第八厂的职工。

与锺韩、锺纬专攻实科不同，钱锺书被安排到牛津大学埃克塞特学院学习西洋文学。因为牛津的学费昂贵，还要另交导师费，房租伙食的费用也很高，所以杨绛选择做一个旁听生，只听几门课，其他时间则经常到大学图书馆上自习。杨绛在《我们仨》中说："图书馆临窗有一行单人书桌，我可以占据一个桌子。架子的书，我可以自己取。读不完的书可以留在桌上。……我为自己定下课程表，一本一本书从头到尾细读。能这样读书，还有什么不满意的呢？"

钱锺书一家

相对于杨绛的自由，钱锺书完全被众多必修课包围了。其中最让他头疼的就是古文字学和订书学。据《一代才子钱锺书》一书介绍，古文字学的主要任务是"从古代的书写方法来辨认作者手稿，从手稿来鉴定作者书写的年代"。这对于不喜束缚的钱锺书而言简直是一种煎熬。因为枯燥乏味、不感兴趣，钱锺书的古文字学没有及格，补考之后才算通过。

按照牛津大学的规定，钱锺书第一年的课程属于预备性质，只有通过考试，才能提出论文题目和论文大纲。经过艰难的准备，钱锺书终于通过各种必修课的考试。考试之后，钱锺书开始准备题为"17世纪及18世纪英国文学里的中国"的毕业论文。然而，这个题目是不好做的。为了完成论文写作，钱锺书开始在牛津大学总图书馆（Bodleian Library）广泛查阅资料，其间他还为总图书馆译了一个非常典雅的名字——"饱蠹楼"。除了饱蠹楼，牛津市立图书馆以及各大书店都留下了钱锺书的足迹。杨绛虽然没有攻读学位，但也看了大量书籍。

民国25年（1936）的暑假，钱锺书和杨绛前往巴黎、瑞士远游了一趟。其间，杨绛还委托她清华大学的同学盛澄华（1912—1970）代他们俩办理巴黎大学的注册入学手续。暑假过后，钱锺书、杨绛夫妇又回到了牛津。不久后，杨绛怀孕了。于是，他们决定在拿到学位（钱锺书）、生完孩子（杨绛）后就到法国去。民国26年（1937）5月19日，钱锺书和杨绛的爱情结晶、被杨绛称为“平生惟一杰作”的女儿钱媛（小名圆圆）来到人间。没过多长时间，钱锺书通过了论文口试，并领到一张牛津大学文学学士（B.Litt）的文凭。

民国26年（1937）夏秋之交，钱锺书和杨绛带着刚满百天的女儿圆圆告别伦敦，前往巴黎继续深造。到了巴黎，他们一方面要完成各自的学业，一方面还要照顾尚在襁褓中的女儿。当时，有些在巴黎就读的中国同学会把孩子送到托儿所，但杨绛舍不得。因为托儿所生活刻板，吃、喝、拉、撒、睡都有规定的时间，杨绛不愿意女儿接受这样呆板的训练。

来到巴黎大学，钱锺书不想再读什么学位。因为牛津大学的经历使他感到时间的宝贵，花费大量的时间上一些不必要的课是得不偿失的。为此，钱锺书夫妇在巴黎大学只按照自己定的课程读书，这样他们就非常自由和充实。

在巴黎一年，钱锺书下苦功阅读了大量书籍。杨绛在《我们仨》中对丈夫这样回忆：“他每日读中文、英文，隔日读法文、德文，后来又加上意大利文。这是爱书如命的锺书恣意读书的一年。”除了读书，钱锺书还整理了石遗老人（陈衍，福建人，1856—1937）的谈话记录，这就是多年后出版的《石语》一书。

石遗老人与钱基博同为无锡国专的老师，钱基博、钱锺书父子很早就和石遗老人相识，并建立了深厚的情谊。民国22年（1933）阴历除夕，石遗老人召钱锺书到苏州度岁。其间，他与钱锺书就文学问题交谈甚欢，有心的钱锺书还将石遗老人的言谈详细地记录在笔记本上。

民国24年（1935）四月初八，石遗老人八十虚岁生日宴会在苏州举行，钱基博、钱锺书父子前往拜寿。席散告别之际，石遗老人对钱锺书不无感慨地说："你要西渡英伦了，我也要南归养老了，残年远道，恐怕我们再也没有机会相见了。"果不其然，民国26年（1937）夏，石遗老人驾鹤西去，最后话别竟然一语成谶。当钱锺书接到国内来信时，对失去这位在诗评上志同道合的忘年交非常惋惜。于是，他决定重新整理石遗老人当年的谈话记录，以此作为永久的纪念。

民国27年（1938），钱锺书已经出国三年了。本来，他还可以领一年的奖学金，但当时的巴黎已经受到二战的影响了。在二战战火的乌云下，钱锺书夫妇决定提前回国。这年8月，钱锺书夫妇带着一岁多的圆圆踏上了返航的邮轮。

第三节 父子同事

一、私立光华大学

民国22年（1933）夏，钱锺书从清华大学毕业。本来，去国外留学是早就想好的事情，但因为《国外留学规程》的牵制，钱锺书不得不先在国内服务两年。当时，钱锺书的父亲钱基博正在上海光华大学教书。在父亲的引荐下，钱锺书到光华大学外文系任职，这也是父子俩首次做同事。

按照常规，新入职的老师一般从助教做起，若干年后再从助教升为讲师。但是，钱锺书一来就是讲师。担任讲师并不是因为父亲的缘故，而是因为他的确不是等闲之辈。在入职光华之前，他已经在《大公报》、《新月》月刊、《清华周刊》等报刊上发表了很多文章。鉴于他的学术成果，光华大学破格请他担任光华大学外文系讲师。钱锺书在光华大学讲授过大一英语、诗学、英文学等课。他讲课不仅细致认真，而且幽默风趣、轻松自如，赢得了学生们的一致欢迎。

俗话说，“打仗亲兄弟，上阵父子兵”。钱基博、钱锺书父子在同一个学校教书，在学问和教学上自然会有许多交流。李洪岩在《智者的心路历程》中曾讲过这样一个故事：“（钱基博、钱锺书）父子在一学校读书讲学，相互竞赛，一时传为美谈。入夜，二人的书房灯光相映，长明不熄，引得夜归人驻足赏叹。”

民国22年（1933）10月10日，钱基博被推选为《光华大学半月刊》编辑委员会委员。与此同时，钱锺书也被聘为特约撰述。父子两人又开始在《光华大学半月刊》共事。在清华大学就读时，钱锺书曾在《光华大学半月刊》发表过《上家大人论骈文流变书》（1933年第1卷第7期）一文。该文实际是钱锺书写给父亲钱基博的一封信，信的内容主要涉及骈文的流变并附有两首绝句诗，后来被钱基博投到《光华大学半月刊》发表。在光华大学担任讲师的两年，钱锺书还曾在《光华大学半月刊》发表了《读〈道德定律的存在问题〉书后》（署名“中书君”，1933年第2卷第2期）、《阙题》（署名“中书君”，1933年第2卷第4期）、《春游纪事诗十九首》（署名“师郑”，1934年第2卷第8期）等文。

就在钱锺书发表《春游纪事诗十九首》的同一期，《光华大学半月刊》《校闻》栏刊登出一则《年刊定期集稿》的消息。消息称：“本校自创办以来，每年度出版年刊一册，以志纪念。本年度年刊，经二十一次校务会议议决聘钱子泉（基博）、钱锺书等为编辑。学生方面，聘钱锺英、钱锺汉等为助理编辑。”民国23年（1934），钱氏家族有四人在光华大学，而且都进入了《光华大学年刊》的编辑队伍，想必是身为《光华大学半月刊》编委的钱基博推荐的结果。

我们对这四人同在光华大学产生了浓厚兴趣。当时，钱基博是光华大学的国文教授兼文学院院长，而且往前追溯，他还是光华大学的创办人之一。民国22年（1933），钱锺书来光华大学教外文是受了乃父钱基博的推荐。至于钱锺英和钱锺汉，他们当时都在光华大学就读。

钱锺英民国19年（1930）考入光华大学英文系，民国23年（1934）夏以英文系第一名毕业，得金牌奖。毕业后，钱锺英开始到中央银行保管科任职，可以说完全改了行。但是，他对中国和西方学问的研究依然没有停止。民国25年（1936），钱锺英在《光华大学半月刊》上连续刊载了长篇论文《中国之语言文字学》（1936年第5卷第1—6期）。

钱锺汉是钱基厚的次子。在钱基厚的九个子女中，仅有两个学了文科，一个是儿子钱锺汉，另一个是女儿钱锺元。而他们俩的学业都跟三伯父钱基博联系在一起。因为钱锺元从民国20年（1931）到民国23年（1934）在无锡国专学习，钱锺汉则从民国20年（1931）到民国24年（1935）在光华大学学习，而这段时间钱基博正好同时在无锡国专和光华大学任教。

钱锺汉考取的是光华大学国文系，而当时钱基博正是国文系教授，想必对钱锺汉会有十分细致的指导。其实，早在钱锺汉考入光华大学之前，钱基博已经发觉了钱锺汉的国学根底。民国19年（1930）暑假，钱锺汉就在钱基博的授读下认真学习了陈澧的《东塾读书记》。

民国24年（1935）夏，钱锺汉以光华大学国文系第一名毕业，得金牌奖，后来到光华大学附属中学、私立无锡中学等学校任职。在伯父的谆谆教导下，钱锺汉的国文水平有了很大提高，并且也在《光华大学半月刊》发表了一系列论文，包括《诗素的消失》（1934年第3卷第3期）、《中国文艺批评理论》（1935—1936年第4卷1—10期，其中5、7期未刊）、《读史浅言》（1936年第4卷第7期、第5卷第1期）、《历史因果及人类的将来》（1936年第5卷第3、4期合刊）、《中国新近代史绪论》（1937年第5卷第6期）等。

二、国立师范学院

民国27年（1938）8月，钱锺书、杨绛夫妇携女钱瑗从英国归来。此时的中国已经与三年前有了巨大变化，“七七事变”和“八一三事变”使中国华北和华东大部陷入日本的侵略之下，家乡无锡以及钱绳武堂也被日军残暴占领。这时，钱家人都躲到上海法国租界辣斐德路避难，而钱锺书的岳父杨荫杭则住在法国租界霞飞路来德坊。杨绛和父亲住在一起，但也常常带着圆圆到钱家去“做媳妇”。

同年，钱锺书的母校清华大学已经和北京大学、南开大学在云南昆明组成国立西南联合大学。学校虽然联合，但聘任教师却有分有合。是年秋，钱锺书被清华大学录取为外文系教授。据清华大学文学院院长冯友兰说：“这是破例的事。”钱锺书无愧为“一代才子”，进清华大学读书是被破格录取的，进光华大学担任讲师是破格录用的，如今他又以二十九岁的年龄到清华大学担任教授，种种迹象说明他的确是一代才子。

钱锺书在联大待了一年。一年内，他为学生开了三门课：大一英文、文艺复兴时期的文学和现代小说。据说，他的三门课都很叫座。他的学生李赋宁曾在《〈王佐良文集〉序》中回忆说："上大四时，钱锺书先生刚从欧洲回国，教我们两门课：文艺复兴时期欧洲文学和当代欧洲小说。钱先生旁征博引，贯通古今，气势磅礴，振聋发聩。"总之，他在联大的上课风格和当年在光华大学时期像极了，只不过内容更深邃，教学更从容。

民国28年（1939）暑假，钱锺书由联大回到上海。当时，钱锺书的父亲已经在蓝田国立师范学院任教一年了，由于路途遥远和中日战事，暑假并没有返沪。有一天，钱锺书接到了父亲钱基博的来信，信上叫他到蓝田当英文系主任，同时还可以侍奉父亲。这件事让他非常为难，一方面是清华大学难得的工作机会，另一方面是需要自己照顾的父亲，他不知如何是好。杨绛觉得他不应该辜负清华大学对他的厚爱（破格录取为教授），但是钱锺书的母亲、四叔父（钱基厚）、弟弟妹妹们都觉得他应该到蓝田去。最后，钱锺书也觉得自己应该去。但杨绛怎么也想不通。

杨绛把这件事告诉了父亲杨荫杭，父亲面无表情，一言不发。杨绛是个乖乖女，父亲的沉默引起了她的深思。后来，杨绛想明白了："一个人的出处去就，是一辈子的大事，当由自己抉择，我只能陈说我的道理，不该干预；尤其不该强他反抗父母。"（《我们仨》）

这样，钱锺书给清华大学写了一封辞职信，收拾好行囊，毅然奔赴远在湖南安化蓝田镇的国立师范学院。这段行程很艰难，走了34天，但也很值得。因为它后来成了钱锺书小说《围城》的第一手资料，国立师范学院也成了小说中"三闾大学"的原型。

钱锺书依照父命抵达蓝田，做惯传统家长的钱基博照例摆出一副严父的架势训斥了儿子。钱锺书知道，父亲表面看似严厉，其实心底还是慈祥的。钱基博特别想念钱锺书，父子俩毕竟已经阔别四年了。上一年，钱锺书虽然匆匆从昆明赶回上海为父亲送行，但见面的时间实在太短暂了。据杨绛在《我们仨》中猜测："他该是想和儿子亲近一番，要把他留在身边。'侍奉'云云只是说说而已，因为他的学生兼助手吴忠匡（1916—2002）一直侍奉着他。"

吴忠匡是钱基博在光华大学的学生，因为热情开朗又具诗人气质，深得钱基博的欣赏。吴忠匡民国24年（1935）考入光华大学，但因为非常出众，大三刚结束（还没有毕业）就被钱基博破格聘为助教，随他前往蓝田国立师范学院去了。钱锺书到蓝田时，吴忠匡正在侍奉钱基博。近50年后，已经是哈尔滨师范大学中文系教授的吴忠匡在《随笔》杂志上发表了一篇《记钱锺书先生》，对钱基博、钱锺书父子在蓝田师院的日常生活和艰难处境进行了详尽的记录。文中写道：

> 在蓝田的那些日子里，我们除了教学任务外，只是读书，钻书堆，每天的生活内容极其单调、刻板，然其格调却又极丰富多采（应作"彩"）。老先生（即钱基博）每天自清晨到深夜，总是端坐在他的大书案前无间息地、不倦怠地著书立说，编辑中国文学史，写读书日记。中书（即钱锺书）也是整天埋头苦读，足不出户。一般是午前的时间，他都用它来阅读外语书籍，大部分是他从国外带回来的。剩余的时间，他阅碑帖，临写草书……午后和晚饭以后的时间，除了到邻屋老先生的房内聊天而外，他都用来翻检所能到手的中国四部古籍，或是伏案写作。……
>
> 我们苦志读书，冬季严寒，屋内都用木炭盆生火取暖，每至午夜，

我们就用废旧纸，包裹鸡蛋，用水湿透，投进炭火，蛋煨熟了，我们一人一枚用它作夜宵。一九七七年，中书写寄给我他答王辛笛君七绝中一首："雪压吴淞忆举杯，卅年存殁两堪哀。何时榾柮（gǔ duò，即木头疙瘩、老树根）炉边坐，共拨寒灰话劫灰。"使我也回忆起当年夜读时的情境。

钱锺书除了夜晚和吴忠匡煨鸡蛋，还经常给父亲炖鸡，这是他在国外学会的一门手艺。同事见钱基博常有鸡吃，因此时常在他面前夸钱锺书孝顺。但是，钱基博却说："这是口体之养，不是养志。"那位同事说："我倒宁愿口体之养。"钱锺书听了父亲与同事的谈话，不免心里委屈。也许是钱基博不愿当面夸奖儿子，也许是他真觉得"养志"比"口体之养"更重要。但是，父子在一起的时光又能有多长呢？所以，体贴子女侍奉的"口体之养"也是非常重要的。

民国29年（1940）暑假，钱锺书本打算回上海探亲，可是走了一半，遇到战事，不得不折了回去。民国30年（1941）暑假前，钱锺书写信给杨绛说他假期就要回去。本来钱锺书是要和父亲一起回去的，但最终父亲没有回。暑假后，钱锺书如期返沪，这一回就被围困在上海城里。

第七章

后辈的婚姻

钱锺书与杨绛夫妇

第一节　“为婚姻须择门户”

钱基博有三个儿子，即锺书、锺纬、锺英，三兄弟年龄相差无几，他们结婚或订婚的时间也是相继进行的。民国23年（1934），钱锺纬娶同乡秦铭光（号颂石）的次女秦溶芳为妻。民国24年（1935）7月13日，钱锺书与杨绛在苏州举行了结婚典礼。同年11月27日，钱基博在苏州中央饭店花园为钱锺英和汪珏（jué）举行了订婚仪式。令人诧异的是，其间还有两位贵宾不期而至，一位是国民党元老李根源，另一位则是国学大师章太炎。这从侧面说明了钱氏家族对婚姻的重视和社会影响之广。

钱氏家族对婚姻一向非常重视，钱镠在《武肃王八训》中就曾说过：“为婚姻须择门户。”钱氏子孙谨遵遗训，在娶妻和嫁女上都争取选择美满的对象。就拿科技界的“三钱”来说吧，他们的婚姻个个堪称绝配。下面，我们通过如下表格，来了解一下“三钱”的婚姻状况。

表6 “三钱”婚姻状况表

“三钱”	“三钱”夫人	婚姻状况
钱学森	蒋英（1919—2012），军事理论家、军事教育家蒋方震（字百里）之女；著名钢琴家和歌唱家	1947年结婚，夫妻相濡以沫62年。钱学森的父亲钱均夫与蒋英的父亲蒋百里是密友，蒋英从小过继到钱家，钱学森与蒋英青梅竹马，最后结为伉俪。钱学森晚年得了很多奖，他曾诙谐地对蒋英说：“钱归你，奖（蒋）归我。”恩爱之情溢于言表
钱伟长	孔祥瑛（1915—2001），同盟会会员孔繁霨之女，孔子的第七十五世孙；曾担任清华附中校长	1939年结婚，夫妻相濡以沫62年。“一二·九”学生运动期间，清华大学物理系的高才生钱伟长与中文系的才女孔祥瑛相识相知。1939年，钱、孔二人在西南联大物理系教授吴有训先生的主持下完婚。20世纪末，年近九旬的钱伟长冒着生命危险坐飞机回上海，其主要原因就是放心不下正在生病的老伴孔祥瑛

（续表）

“三钱”	“三钱”夫人	婚姻状况
钱三强	何泽慧（1914—2011），近代实业家、同盟会会员何澄之女；核物理学家、“中国的居里夫人”	1946年完婚，夫妻相濡以沫46年。何、钱二人本为清华大学物理系同学。1936年，何、钱分别以毕业论文第一、第二的成绩从清华大学毕业。随后，二人远赴德、法两国留学。1945年，钱三强向何泽慧发出求婚信。按照要求，当时所有信件都被限制在25个单词以内。钱三强写道：“经过长期通信，我向你提出结婚的要求。如能同意，请回信，我将等你一同回祖国。”很快，他收到何泽慧的回信：“感谢你的爱情，我将对你永远忠诚，等我们见面后一同回国。”

从这个表格，我们可以发现，“三钱”在经营婚姻时，充分将门第和感情结合起来。从历史的长河看，钱家子孙出了不少社会精英和国家骨干，钱家媳妇又有许多是大家闺秀和知识女性，这对于夫妻关系的维系和钱氏子孙的繁衍具有极好的作用。现在，我们就来看看堠山钱氏丹桂堂钱福炯一支“媳妇”们的背景吧：

钱福炯的夫人孙氏出自号称“官僚地主，一方之霸”的无锡石塘湾孙家。

钱基成的夫人毛氏出自做颜料生意的江阴富户毛家。

钱基博与王氏夫妇

钱基博的夫人王氏生在无锡文化世家，父亲王缜为无锡县附贡生、候选训导（与钱福炯完全一样），伯父王綷（zài）为同治二年（1863）癸亥科进士（王綷的曾孙王选为两院院士、国家最高科学技术奖获得者），哥哥王蕴章是中国近代著名词人、小说家、书法家、教育家。

钱基厚的夫人高珍的父亲高汝琳是明末东林党领袖高攀龙的伯父高明伯的十一世孙。

钱锺纬的夫人秦溶芳的父亲秦铭光是北宋词人秦观的二十二世孙。

以上这个钱氏媳妇阵容足以说明钱氏家族在联姻上的“优优组合”。下面我们将重点探讨钱锺书与杨绛、钱锺元与许景渊、钱锺霞与石声淮的婚恋经过及其家人对这一桩桩婚事的态度和反应。

第二节　天作之合：钱锺书与杨绛

一、月下老人拴红丝

钱锺书和杨绛是中国近现代文化界少有的模范夫妻，从民国24年（1935）举行婚礼到1998年钱锺书辞世，夫妻二人共同度过了63个春秋。才子钱锺书与才女杨绛的婚姻不仅令人钦羡，更值得子孙后代们学习。

杨绛，本名季康，小名阿季，宣统三年（1911）生于北京，祖籍是江苏无锡。杨绛的父亲杨荫杭是民国时期知名的律师和法律人。据杨氏宗谱记载，杨荫杭是无锡鸿山杨氏留芳声巷分支的后裔，其始祖为宋朝进士、抗金名臣杨邦乂（yì，1085—1129）。杨绛的母亲唐须嫈（yíng，1878—1937）出生于无锡富商之家，与杨荫杭的妹妹杨荫榆（后担任北京女子师范大学校长）、章太炎的夫人汤国梨（1883—1980）是上海务本女校的同学。杨绛是家中的老四，上有三个姐姐，下有两个弟弟、两个妹妹。她的大姐杨寿康专攻法国文学，曾译过法国布厄瑞的《死亡的意义》。她的小妹杨必学的是英国文学，曾担任过傅雷之子傅聪的英文老师，译有小说《剥削世家》和《名利场》。而杨绛更是举世闻名的作家和翻译家，翻译了西班牙塞万提斯的《堂吉诃德》，为此在1986年还获得了西班牙国王授予的“智慧国王阿方索十世勋章”。

杨绛和钱锺书都出身于书香世家，他们的婚姻可以说正是鸿山杨氏和堠山钱氏的“优优组合”。尽管是两个地方大族的联姻，但钱锺书与杨绛的缘分和感情对于维系这桩婚姻的成功起了很大作用。光绪二十八年（1902），杨绛的父亲杨荫杭在无锡组织成立了理化研究会。两三年后，钱锺书的父亲钱基博又约集朋友成立了第二届理化研究会。当时，钱基博虽然还不认识杨荫杭，但这可以算作钱锺书和杨绛的间接缘分。

据杨绛回忆，她和钱锺书家的直接缘分可以追溯到民国8年（1919）。这年秋天，九岁的杨绛随父母由北京返回无锡，但因为找房子的缘故，她和父母偶然踏进了钱家的住所。杨绛在《记钱锺书与〈围城〉》中叙述了当时的情形：“我父母不想住老家，要另找房子。亲友介绍了一处，我父母去看房子，带了我同去。锺书家当时正租居那所房子（留芳声巷朱氏宅）。那是我第一次上他们钱家的门，只是那时两家并不相识。”

民国17年（1928），杨绛从振华女中毕业。她很想报考清华大学外文系，可是清华大学虽然刚刚开放女禁，但并不在南方招考。这样，杨绛只得转投苏州东吴大学。杨绛和大姐杨寿康一样，喜欢外国文学，但东吴大学偏偏没有这个专业。最后，她不得不选择了政治系。但她对政治学并不感兴趣，希望毕业后能够到清华大学攻读研究生。

民国21年（1932）初，日本帝国主义在上海制造了“一·二八事变”。东吴大学又因为学潮停课，开学无期。杨绛、孙令衔等5人被迫赶往北平借读。他们借读的是燕京大学，但杨绛后来变了卦，毅然去了清华当借读生。母亲后来取笑她说：“阿季脚上拴着月下老人的红丝呢，所以心心念念只想考清华。”红丝的另一头不是别人，正是当时正在清华大学读大三的钱锺书。

二、才子佳人情意浓

民国21年（1932）3月初，杨绛等人参加了燕京大学的入学考试（转入清华大学是随后的事）。考试结束，她和孙令衔一起到清华大学会见亲友，杨绛要见的是她的老友、钱锺书的同班同学蒋恩钿（1908—1975），孙令衔要见的正是他的表哥钱锺书。在清华大学女生宿舍古月堂门口，杨绛见到了她的好友蒋恩钿。而且更为重要的是，在孙令衔的介绍下，她还第一次见到了钱锺书。若干年后，在杨绛的撮合下，孙令衔又与杨绛的七妹杨桼（qī）喜结连理，成了杨绛的妹夫，当然这都是后话了。

杨绛初见钱锺书，只见他“穿一件青布大褂、一双毛布底鞋，戴一副老式大眼镜”，“眉宇间‘蔚然而深秀’，瘦瘦的，书生模样”。当时，两个人匆匆一见，只是互相留了联系方式。但是，孙令衔作为中间人，却给双方误传了信息。他告诉杨绛：钱锺书已经和叶恭绰的女儿叶崇范订婚；又告诉钱锺书：杨绛已经是费孝通的女朋友了。然而，这两条信息都不属实。

因为互留了联系方式，钱锺书稍后就给杨绛写了一封信。他约杨绛在清华工字厅见面，想和她当面聊一聊。见面后，钱锺书开口便说："我没有订婚。"杨绛也回应："我没有男朋友。"这样，误会解除，钱、杨继续通过书信往来。清华大学通信非常方便，放到邮筒里很快就能送到宿舍。所以，他们的书信写得很勤，几乎到了一天一封的地步。钱锺书在信中说他"志气不大，只想贡献一生，做做学问"，杨绛觉得她和钱锺书的志趣特别契合。

杨绛

因为志趣相投，他们的交往越来越深。钱锺书经常到古月堂约杨绛出去散步。他们开始去气象台，后来就到荷塘小路。这条小路应该就是朱自清《荷塘月色》笔下的那条小路吧："沿着荷塘，是一条曲折的小煤屑路。这是一条幽僻的路；白天也少人走，夜晚更加寂寞。荷塘四面，长着许多树，蓊（wěng）蓊郁郁的。路的一旁，是些杨柳，和一些不知道名字的树。"荷塘小路很窄，一般少有人走，想必也只有亲密的情侣才走吧。漫步在小路上，钱、杨两人悄悄地说着情话，自然而然地坠入了爱河。

民国21年（1932）7月，杨绛从借读的清华大学卒业，并领到东吴大学的毕业文凭。钱锺书要杨绛在清华补习一两个月，考入清华研究院外语系，而他正好升入大四，这样两人就可以再同学一年了。但杨绛知道，一个暑假想补完清华大学本科四年的功课是不可能的，更何况她要从政治学转到外国文学呢！这样，杨绛打算先回苏州（1923年杨荫杭举家迁往苏州），等来年再考清华的研究生。

回到苏州，杨绛的亲戚为她在上海华德路小学谋得一个教员之职。杨绛仅仅在上海工作了一个多月，后来因为生病返回苏州。此时，钱锺书远在北京，杨绛则养病家中，两人只能通过书信交流感情。民国22年（1933）初，回无锡度寒假的钱锺书到苏州看望杨绛。杨绛在钱锺书的指点下开始补习外文系的功课。更为重要的是，杨绛将钱锺书介绍给了父亲杨荫杭。经过单独谈话，杨荫杭认为钱锺书“人是高明的”。

三、求婚·订婚·结婚

获得杨父的准许，钱锺书认为他俩的爱情已经“水到渠成”。因此，他没有和杨绛商量，就和父亲迅速赶到苏州求婚。按照旧礼，钱基博还请出杨荫杭的两位好友担当双方的媒人。其中之一就是孙巩圻（号揖英，《听杨绛谈往事》一书作“奕英”），他是杨荫杭在北京时候的邻居，也是钱基博六舅孙祖烈的儿子，孙巩圻的女儿孙燕华更是杨绛的挚友。杨荫杭面对钱氏父子如此郑重的求婚仪式，以为杨绛也早已知晓这件事（当时杨绛未在家），于是就爽快地答应了这门亲事。

民国22年（1933）6月，钱锺书从清华毕业，回到无锡。此时，钱、杨依然通过书信往来。但没有想到的是，二人的书信竟然遭到钱锺书父亲钱基博的“强拆”。一次，杨绛在信中和钱锺书讨论交友，信中说：“‘毋友不如己者’，我的朋友个个比我强。”对《论语》了如指掌的钱基博读到这里，觉得杨绛真是明理懂事之人，并且亲自给杨绛写了一封信，郑重把儿子托付给她。还有一次，杨绛在给钱锺书的信中说：“现在吾两人快乐无用，须两家父母兄弟皆大欢喜，吾两人之快乐乃彻始彻终不受障

碍。”钱锺书读毕，觉得“此真聪明人语”。（参见钱基厚辑《议婚集》之《（钱基博）又复元女函》）

不久，杨绛如愿以偿考取了清华大学研究院外国语文研究所，钱锺书也在上海光华大学谋取了教职。眼看又将分离，家人为他们举行了订婚仪式。杨绛在《车过古战场——追忆与钱穆先生同行赴京》中回忆道：“我们那时候，结婚之前还多一道‘订婚’礼。而默存（钱锺书字）和我的‘订婚’，说来更是滑稽。明明是我们自己认识的，明明是我把默存介绍给我爸爸，爸爸很赏识他，不就是‘肯定了’吗？可是我们还颠颠倒倒遵循‘父母之命，媒妁之言’。”

一切妥当，钱、杨在苏州某饭馆摆了一桌订婚宴。订婚宴请了双方的至亲好友，男女分席。杨绛的父亲杨荫杭神采奕奕，母亲唐须嫈落落大方。钱锺书的母亲王氏虽然比较沉静，也很少出门，但非常高兴，以至于回家快活得都睡不着。那天，钱基博的同宗钱穆也参加了订婚宴。散席后，钱基博特意将杨绛介绍给钱穆。因为暑假即将结束，身为燕京大学国文讲师的钱穆不日将赴北平，杨绛也将到清华大学读研究生。这样，钱基博就约请杨绛与钱穆一同前往，以便路上有所照料。

订婚宴后，杨绛就是钱锺书的未婚妻了。但杨绛前往北平，钱锺书远在上海，这对“异地恋”还是只能通过书信交流感情。民国23年（1934）4月初，钱锺书从上海到北平探望杨绛。毕业后首次回到清华大学，钱锺书的应酬自然不少，但与杨绛的感情也进一步加深。钱锺书在清华大学四年，很少外出。这次，他在杨绛的陪同下，游遍了北平近郊。日后，他曾写有《北游纪事诗》一组，其中一首这样写道：

分飞劳燕原同命，异处参商亦共天。

自是欢娱常苦短，游仙七日已千年。

在诸多旅游胜地中，钱锺书最喜欢玉泉山和玉泉潭。杨绛在这次春游中曾作有《玉泉山闻铃》，钱锺书则以《玉泉山同绛》相和。颈、尾两联的“久坐槛生暖，忘言意转深。明朝即长路，惜取此时心”尤能反映钱锺书与未婚妻杨绛的依依惜别之情。

民国24年（1935）夏，钱锺书两年教学期满，并在留英庚款考试中考得第一名。此时，杨绛已经在清华大学读研两年，明年即将毕业。但为了和钱锺书一起留学，杨绛决定休学，并自费留学出国。在出国前一个月，两家为钱锺书和杨绛举行了结婚典礼。婚礼一共举行了两场，在杨家采取西式婚礼，在钱家则采取中式婚礼，杨绛在《杨绛生平与创作大事记》一文中详细记录了这一婚礼流程：

7月13日，我在苏州庙堂巷我家大厅上与钱锺书举行婚礼。我父亲主婚，张一各（仲仁）先生证婚，有伴娘伴郎、提花篮女孩、提婚纱男孩。钱锺书由他父亲、弟弟（锺英）、妹妹（锺霞）陪同来我家。有乐队奏“结婚进行曲”，有赞礼，新人行三鞠躬礼，交换戒指，结婚证书上由伴郎伴娘代盖印章。礼毕，我家请照相馆摄影师为新人摄影；新人等立大厅前廊下，摄影师立烈日中，因光线不合适，照相上每个人都像刚被拿获的犯人。照相毕，摆上喜酒，来宾入席，新娘换装，吃喜酒。客散后，新娘又换装，带了出国的行李，由钱家人接到无锡七尺场钱家。新人到钱家，进门放双响爆仗、百子爆仗。新娘又换装，与锺书向他父母行叩头礼，向已去世多年的嗣父母（指钱基成、毛氏夫妇）

行叩头礼（以一盆千年芸、一盆葱为代表，置二椅上）。向叔父婶母等辞谢叩头，行鞠躬礼，拜家祠（磕头），拜灶神（磕头），吃“团圆昼饭”。晚又请客吃喜酒，唐文治老先生、唐庆贻先生父子席间唱昆曲《长生殿》（定情）助兴。

杨绛

据杨绛的二姑母说，杨荫杭被张謇称为“江南才子”。巧的是，在张謇给钱基博的信中，他也称钱基博为“江南才子”。杨绛能从一个“才子”家嫁到另一个“才子”家，这是她天大的幸运。若干年后，钱锺书成长为“一代才子”（汤晏《一代才子钱锺书》），杨绛也被人赠予“旷世才女”的桂冠（杨慧《杨迷谈杨绛——旷世才女》，《深圳晚报》，2008年12月8日）。俗话说：“物以类聚，人以群分。”家族对个人的成长起着非常重要的作用，钱、杨的爱情、婚姻和日后的成就足以证明。

第三节　义贞相守：钱锺元与许景渊

一、钱许姻缘

钱锺元（1914—1959）是钱基厚与高珍的长女。她从小就很懂事，经常帮助母亲做一些家务。因为钱基厚子女众多，而钱锺元又是大姐，所以照顾弟弟妹妹的重担就落在了钱锺元的身上。虽然钱锺元是个姑娘，但钱基厚并没有放松对她的教育。因此，钱锺元在父亲的指导下，认真诵读了“四书”“五经”等古籍。后来，钱锺元还协助父亲辅导年幼的弟弟们读书，管教非常严格。

民国20年（1931），无锡国学专修学校开始招女生，但因为宿舍不够，只限通学（即走读）。钱锺元有国学根底，而且钱家与无锡国学专修学校只有300米的距离，这样钱锺元就成了无锡国学专修学校最早的一批女生之一。当时，钱锺元的三伯父钱基博正在该校兼课，因此，钱基博又成了钱锺元的国文老师。正是因为有伯侄和师生关系，钱基博与钱锺元的交流甚多，而且钱锺元向来也很听三伯父的话。民国23年（1934）夏，钱锺元从无锡国学专修学校毕业。此时，她二十一岁，也到了恋爱的年龄。

许景渊（1912—2006），笔名劳陇，无锡人。民国23年（1934）夏，他从北平税务专门学校毕业，随后在上海海关担任帮办。当时钱基博也在上海光华大学任教，与许景渊见过多次，对他有足够的了解。

是年秋，钱基厚的内嫂将许景渊介绍给钱家。这位内嫂被钱基厚称为“勤补高内嫂”，是高珍哥哥的夫人，也即钱锺元的舅妈。因为这位内嫂与许景渊同为锡山许氏，所以为许景渊保媒也就不足为奇了。更为主要的是，钱氏家族与许氏家族早就有过交往和联姻。第一，许景渊父亲许建人的哥哥许瀑如先生和钱基博是理科研究会的同学，他们十几岁就认识了。《孙庵年谱》光绪三十一年（1905）记录的理科研究会就有“许君瀑如”的名字。第二，许建人的母亲许太夫人系出长安桥钱氏，与丹桂堂钱氏同宗同族，他们共同的先祖可以追溯到钱镠的十四世孙钱缶。

正是因为这样，钱锺元与许景渊有了这段姻缘。后来，在钱基博和邹颂丹的奔走下，钱、许两家为两个孩子的婚姻进行了多次商讨。经过一段时间的接触，双方家长对钱、许姻缘非常满意，钱锺元在经过一段“犹豫”期后也答应了这桩婚事。

二、议婚十函

因为双方对钱、许婚事都很满意，民国23年（1934）12月23日，两家为钱锺元和许景渊举行了订婚仪式。订婚仪式不仅请了钱、许两姓的亲朋，而且钱基厚还为钱、许二人草拟了《订婚书》。《订婚书》非常简练，现全录如下：

订婚书

男子许景渊，年二十三岁，夏历十一月初二日未时生，北平税务专门学校毕业。

女子钱锺元，年二十一岁，夏历正月初十日申时生，无锡国学专修学校毕业。

兹凭

邹颂丹、钱子泉两先生之介绍，得由家长之许可，征取双方之同意，特于民国二十三年十二月二十三日先行订婚，互立订婚书，各换名戒，并附照片，分存为证。

订婚人：男子　许景渊

女子　钱锺元

家长：许建人

钱孙卿

介绍人：邹颂丹

钱子泉

中华民国二十三年十二月二十三日订

一年后的十二月二十七日，钱锺元和许景渊正式结婚。从民国23年（1934）秋内嫂保媒，到民国24年（1935）年底钱、许结婚，两家为他们的婚事反复商讨。钱、许结婚时，钱基厚将一年多双方的议婚书信辑为一集，取名《议婚集》。《议婚集》包括三个部分，即《弁言》《元女议婚集（附订婚书）》和《跋》。封面是钱基博、钱基厚兄弟的老师、无锡举人许国风先生的题签。

在《弁言》部分，钱基厚首先说明了钱锺元与许景渊的婚配渊源。紧接着，他道出了夫妇百年永好的秘诀。“父母爱子为计深远，君子之道，造端夫妇。”但是怎样的夫妇才能永结百年之好呢？钱基厚将他在订婚仪式上对钱、许二人的谆谆教诲写在《弁言》中。第一，夫妇之间要深入了解、互谅互爱，“惟识性为能同居，须相谅乃可永好”。第二，相敬如宾、举案齐眉可作为夫妇相处之道的典范。因为“君子交淡，淡乃弥永；小人情甘，甘实难继。朋友之道，义同夫妇”。第三，“义贞相守”是夫妇相处的最高境界。“女子从一之谓贞，男子不二之谓义。义贞相守，金石同固，当已共喻其旨矣。”最后，钱基厚指出了编辑《议婚集》的目的，那就是“将以永证嘉盟，并诏两家子女，咸体父母之意，勿贻老人忧也”。

《元女议婚集》是《议婚集》的主体，收录了与钱锺元婚姻密切相关的十封信札。十封信可以分为四组。第一至第四封为一组，作于民国23年（1934）10月、11月间。《家兄子泉由沪寄函》是钱基博寄给钱基厚的信。在信中，钱基博认为许景渊谈吐得体、应对自如，是一个难得的人才。他觉得“人才”是选婿的第一要素，其次才是职业和环境。《又寄元女函》是钱基博给钱锺元的信。他告诉锺元，已经与许景渊约定“以三个月为犹豫期”，希望锺元在三个月内“拿出自己的眼光”，又希望她体谅父亲的善意，早作打算，不要让父亲担忧。《复家兄子泉函（寄沪）》是钱基厚寄给钱基博的回信。他告诉哥哥许家对元女没有异议，但是元女却有疑虑，一方面她想“常随父母，不肯远离”，另一方面她又觉得自己不善治家，学力不足，“生性虽非高傲，亦难多受委屈”。钱基厚认为应该将这些告诉许家，以免日后发生争执。《又第二函》也是钱基厚给钱基博的信。信中提出元女对这桩婚事的另外两个疑虑。第一，“景渊服务海关，将来他调远方，以后不能归宁父母”。第二，“景渊独子，供职外方，翁姑（指公婆）常须家居，负责亦觉太重”。

第五、第六封信是第二组。第五封为《致许景渊函》，是钱基厚写给许景渊的信。该信表达了钱基厚对自由恋爱的观点，他告诉许景渊：婚姻“只须男女本人确能认识清楚，不致稍贻后悔，迟早固无问题”。紧接着，他说道：“君子知人之长，尤贵悉其所短。知长乃能善用，知短期其相谅。”钱基厚希望许景渊在回信中指出他和元女的“生性短长”，以增加他对这桩婚事的思考。第六封《许景渊复函》即许给钱基厚的回信。他对钱基厚提出的“知己知彼、识性同居”深表赞同，并且认为元妹“秉性稍刚”，而自己则“优柔寡断”，两人在性格上可以互补。

第七封信是第三组，题为《致邹颂丹先生函》。在信中，钱基厚首先告诉邹先生元女的近况，紧接着又与邹先生商讨了婚期。此外，他还申明：“至将来结婚，弟意力主俭省。许宅应需之物，即请自行斟酌，弟不过问。”

第八、第九、第十封信是第四组。《家兄子泉寄元女函》是钱基博寄给钱锺元的信。他得知元女身体尚未康复，因此希望元女不要发愁，“心宽则体自舒”。此外，他郑重劝慰元女早做决定，不要错过许景渊这位“绝无嗜好”的有为青年。《家兄子泉由沪寄函》是钱基博写给钱基厚的信。该信通报了许家为迎娶元女而做出的种种努力，也指出了当时社会儿女不体谅父母的风气，并希望“我辈做父母者，低首下心，委曲调护”，“为元异日幸福计，最好不坚持成见”。最后一封《又复元女函》仍然是钱基博寄给元女的信，他首先对元女能“从长考虑”表示欣慰，接着再次表达了对许景渊的认可，他说：“景渊勤于所事，而以文史自怡，吾见亦罕。”最后，他用钱锺书与杨绛的事例，劝元女“勿自托大”，认真听从长辈的意见，争取使钱、许两家皆大欢喜。

《跋》是文章的最后部分，也是对《元女议婚集》的总结。钱基厚重申了知己知彼、识性同居、察己所短、慎己所长的道理，希望女婿“能明夫妇相成之道，备审刚柔相济之理”，女儿能“详察大禹《洪范》，沉潜刚克，高明柔克之义，矫其所短，慎其所长，虚心自处，勿稍托大”。其实，婚姻的幸福与否，关键在于夫妇二人与双姓家庭的经营。只要取长补短，互谅互爱，“义贞永守”的美满生活就不是一个遥不可及的梦。

第四节　金玉良缘：钱锺霞与石声淮

一、艰难结合

钱锺霞（1916—1985）是钱基博唯一的女儿，中学毕业后，即停学在家，协助母亲料理家务。本来，按照钱家“书香传家”的传统，钱锺霞应该和钱锺元一样考取大学的。但是，作为国学大师，钱基博看中的不是女儿的才情，而是女儿的贤德，他希望将女儿培养成为一个像母亲孙氏和妻子王氏一样相夫教子的贤妻良母。结果，事实与计划完全吻合，钱锺霞被培养成钱基博心目中的“良家女”。他在《金玉缘谱》中这样评价女儿：

> 女霞中学毕业，老妻遂留自佐；以故无女大学生之头衔，而亦无女大学生之习气；治家奉母，勤生节用，饭能自煮，衣能自纫；足不履剧场，手不拊赌具，口不衔纸烟；应接宾朋，指挥佣仆，米盐料量，胥女之赖！操作有暇，诗书以娱。吾家藏书多；吾女杂览亦不少；线装之

书，耳濡目染；凡有涉猎，靡不通晓！然诵览之书多，而写作之功少；操管濡墨，楚楚大致，足以记姓名，写家信而已，无才为女学士，然不害为良家女！

民国30年（1941）暑假，钱锺书从蓝田国立师范学院返回上海。钱锺纬夫妇和钱锺霞开始接替大哥照料父亲。当时，钱基博疾病缠身，钱锺纬和钱锺霞奉母亲之命，不远千里，冒着战火，来到湖南蓝田省视父亲。此外，他们还有一个任务，那就是等无锡平静后，侍奉父亲回无锡。但可惜，这个任务因种种原因没有完成。

不久之后，钱锺纬夫妇迁往汉口。因为他曾经赴英学习过纺织，此后就在汉口担任申新纺织四厂的副厂长。汉口与蓝田隔着洞庭湖，虽然不近，但比上海到蓝田的距离近多了。这样，钱锺纬也可以及时到蓝田看望父亲。钱锺纬走后，钱基博的生活起居便由钱锺霞一人照料。

钱锺霞在蓝田国师照料了父亲五年，她每天帮父亲提公文包，并搀扶着父亲前往教室上课。钱锺霞身材高挑，貌美如花，她搀扶父亲钱基博走路的情形成了蓝田国师一道亮丽的风景线。因为钱锺霞待字闺中，前往钱基博舍中求婚的男子络绎不绝。但是，钱基博不为所动，都婉言谢绝了。

石声淮（1913—1997），湖南长沙人，民国27年（1938）考入国立师范学院国文系，民国32年（1943）毕业，例授教育学士，并获该年全国各大学国文系毕业论文比赛一等奖。他是蓝田国师的首届毕业生，曾师从钱基博、马宗霍、钟泰诸先生，毕业后直接留校任教。

石声淮在入职国师之前，曾在国师附中当过一段时间的实习老师，傅业葵就是他的学生。傅业葵在《记实习教师石声淮》一文中说：“（石声淮）长相奇特：一双斗鸡眼，一只鹰钩鼻，一张手掌宽的脸，一绺长发斜斜地遮住半只眼睛；他那很少换洗的蓝布长衫的前襟有一块块的稀饭渍印。”但是，奇特的长相掩盖不住石声淮的才华。他虽然没有留过学，但英语、德语、钢琴俱佳，其中最优秀的当属国文。傅业葵在《记实习教师石声淮》中写道：

> 作为实习教师，石声淮先生向我们展现了他那精深的古典文学修养，显示了他那不同凡响的教学才能。他声音低沉，语调平缓，好像是与久别重逢的老朋友聚在一起娓娓而谈，好像是在万籁俱寂的月夜，一弯流水的低唱。他把一篇篇诘屈聱牙的古文讲得平易如俗，他让我们如醉如痴地沉醉在古典文学的美的意境之中，久久地忘记了身在人间。

傅业葵用如此优美的文字描摹了石声淮在教学实习中的精彩表现。石声淮师从钱基博，最能模仿钱基博的文章，而且在生活上对老师关心备至、照顾有加。钱基博对石声淮的才学和人品看在眼里，记在心里。久而久之，钱基博认定石声淮是可以继承衣钵的，在他的培育下必能成才，并决定将自己心爱的女儿钱锺霞许配给他。但貌美如花的钱锺霞怎么会同意和这个长相奇特的石声淮结合呢？更何况，她和石声淮一点儿感情基础都没有啊！

除了钱锺霞，钱锺纬是钱家最早知道父亲这一决定的人。据杨绛《我们仨》中说，钱锺纬将此事写信报告给母亲，说爹爹已将妹妹许配给石声淮，但妹妹不愿意，常在河边独自徘徊，怕有轻生之想，而且还说爹爹选的人并不合适。

钱锺书站在妹妹的立场上，妹妹不愿意，就是不合适；钱母王氏因为石声淮是外地人，所以也认为不行；钱基厚主张婚姻自由，同样认为不合适。于是，钱母嘱锺书写信劝阻这门亲事。钱锺书代母亲委婉陈词，说生平只此一女，不愿她嫁给外地人，希望爹爹再加考虑。钱基厚也写信给哥哥，说家里一对对小夫妻都爱吵架，唯独他们夫妇不吵，可见婚姻还是自由的好。

此外，钱锺书还私下写信给妹妹打气，叫她抗拒。但是妹妹从来不敢违抗父亲，就拿出哥哥的信来，代她说话。钱基博见到儿子钱锺书的信非常恼火：女儿嫁个书生，“粗茶淡饭足矣”，外地人又怎地？储安平（当时在国师任职）是自由结婚的，如今不也在闹离婚吗？现在什么世道，做父母的竟要等待子女来教育了！

民国31年（1942）冬至，钱基博不听家人劝阻，在自己的坚持下，让女儿钱锺霞和石声淮订婚。民国34年（1945）8月15日，日本宣布投降。这天，钱锺霞与石声淮在湖南溆浦结了婚。民国35年（1946），石声淮、钱锺霞夫妇与钱基博到武汉定居，钱基博与石声淮开始在私立华中大学任教。中华人民共和国成立前夕，王氏从上海赶到武汉与丈夫、女儿、女婿团聚。钱基博生命中的最后时光就是和钱锺霞、石声淮一起度过的。后来，石钱夫妇生了三子一女，按照杨绛的说法，“爹爹一手操办的婚姻该算圆满”。

二、金玉缘谱

钱基博以俭治家，并没有为钱锺霞和石声淮举行盛大的订婚、结婚仪式。但是，他与弟弟基厚辑录《议婚集》一样，为钱锺霞和石声淮留下了《金玉缘谱》。《金玉缘谱》实际上是钱基博、钱锺霞、石声淮的对话录，也可以算作是钱锺霞和石声淮的订婚书。

《金玉缘谱》由石声淮录于民国31年（1942）冬至，首段是一个引子，文曰：

> 长沙男子石声淮，奉母而求；无锡女子钱锺霞，待父之严；而谐婚作配于蓝田之镇，光明之山；一见倾心，终身骤诺，撰次问对，以当盟书。而男子氏石；女出裔钱；钱从金旁；石为玉根；永以为好，坚如金玉；遂署其端曰《金玉缘谱》；而为之主者，钱基博也。

从杨绛《我们仨》中的相关文字看，“一见倾心”的说法肯定不正确了，但日后“金玉良缘”的美满结局还是令我们非常钦羡的。

《金玉缘谱》从第二段到最后都是语录体，但大部分是钱基博的讲话。该语录大致分为三部分：第一部分是钱基博与他们问对，并正式将钱锺霞托付给石声淮；第二部分是钱基博向他们传达治家理念；第三部分是钱基博向他们赠送礼物。

在第一部分，钱基博首先向石声淮详细介绍了小女钱锺霞的具体情况（见前文），并问声淮是否“愿得为偶”。石声淮说：“女公子性行淑均，大惧声淮之不足以辱！倘许下嫁，极所愿也！”钱基博又对锺霞说：“声淮从学四年；吾相其人，相非富贵而秉德不回，持己以介，用情则挚；诸生之中，性行特类我！吾以汝归；吾信声淮必能以爱我者敬汝！汝意何如？”钱锺霞应命。随后，钱基博将爱女托付给石声淮，希望声淮好好对待锺霞，也希望锺霞好好辅助声淮，并让他们握手盟心。

在第二部分，钱基博以勤俭为主旨向锺霞、声淮传授治家之道。他说："吾行身极迂谨，而做事极通侻！世俗之繁文缛节，吾所不耐也；世俗之穷奢极欲，尤所力戒也！吾不敢为而敢不为！吾三子娶妇，不发帖，不受礼。纵有强而受焉，吾受少而不受多。虽或以此为亲党所怪，然国奢则示之以俭；吾固无虞人怪！吾寒儒未尝以财振人之急，何敢以儿女之事，破人之财而受人礼乎！故不为也！"随后，钱基博又用钱锺霞外曾祖父王柏庭先生与顾太夫人"婚礼虽俭而后福尤隆"和无锡同乡杨某"娶妻华奢而无以保终"一正一反两个事例向锺霞、声淮说明了勤俭的重要性。

在第三部分，钱基博按照礼俗将《中国文学史》和《孙武书注》两部书送给钱锺霞作嫁妆，并把自己的两百多册日记送给石声淮作礼物。他希望锺霞善承其贻，并叮嘱他们"善承乡先辈之贞性毅力，不懈益修以努力所学所事，而无负国家作育之意；此吾之望也！吾儿锺书来书，欲为我撰年谱；傥有资于日记，尔声淮其助成之！"

在《金玉缘谱》结尾，钱基博说道："吾兹所言；尔夫妇心心相印，言莫予违；抑亦亡于礼者之礼也！尔声淮尚其记录成册，写付石印以散亲友，告成礼，而为证婚书焉，可也。"文下签有结婚人石声淮、钱锺霞和主婚人钱基博的名字。

四年以后，一个署名为"×厂"的作者在《海风》杂志上写了一篇《钱基博嫁女媵书》。他在文章中对钱基博勤俭的婚嫁作风评价道："在这个人穷世富的社会，婚嫁总是踵车增华，甚至典欣举债，以博取虚荣。像钱老先生的嫁女媵书，很足以树兹风声，以挽颓俗，不仅是传为美谈而已。"

附录　钱氏家训

个人

心术不可得罪于天地，言行皆当无愧于圣贤。

曾子之三省勿忘，程子之四箴宜佩。

持躬不可不谨严，临财不可不廉介。处事不可不决断，存心不可不宽厚。

尽前行者地步窄，向后看者眼界宽。

花繁柳密处拨得开，方见手段。风狂雨骤时立得定，才是脚跟。

能改过则天地不怒，能安分则鬼神无权。

读经传则根柢深，看史鉴则议论伟。

能文章则称述多，蓄道德则福报厚。

家庭

欲造优美之家庭，须立良好之规则。

内外门间整洁，尊卑次序谨严。

父母伯叔孝敬欢愉，妯娌弟兄和睦友爱。

祖宗虽远，祭祀宜诚。子孙虽愚，诗书须读。

娶媳求淑女，勿计妆奁。嫁女择佳婿，勿慕富贵。

家富提携宗族，置义塾与公田。岁饥赈济亲朋，筹仁浆与义粟。

勤俭为本，自必丰亨（古同烹）。忠厚传家，乃能长久。

社会

信交朋友，惠普乡邻。

恤寡矜孤，敬老怀幼。

救灾周急，排难解纷。

修桥路以利人行，造河船以济众渡。

兴启蒙之义塾，设积谷之社仓。

私见尽要划除，公益概行提倡。

不见利而起谋，不见才而生嫉。

小人固当远，断不可显为仇敌。

君子固当亲，亦不可曲为附和。

国家

执法如山，守身如玉，爱民如子，去蠹如仇。

严以驭役，宽以恤民。

官肯著意一分，民受十分之惠。

上能吃苦一点，民沾万点之恩。

利在一身勿谋也，利在天下者必谋之。

利在一时固谋也，利在万世者更谋之。

大智兴邦，不过集众思。

大愚误国，只为好自用。

聪明睿智，守之以愚。

功被天下，守之以让。

勇力振世，守之以怯。

富有四海，守之以谦。

庙堂之上，以养正气为先。

海宇之内，以养元气为本。

务本节用则国富。

进贤使能则国强。

兴学育才则国盛。

交邻有道则国安。

（摘自钱文选编著：《士青全集》，商务印书馆，1939年，第142—143页）

参考文献

史料类

[1](清)裴大中,等.光绪无锡金匮县志[M].南京:江苏古籍出版社,1991.

[2](清)钱茂祥,等.钱氏湖头宗谱[M].1867.

[3](清)钱熙元,等.堠山钱氏宗谱[M].1907.

[4](清)钦定大清通礼[M].长春:吉林出版集团有限责任公司,2005.

[5](清)吴任臣.十国春秋[M].北京:中华书局,1983.

[6](清)余治.得一录[M].合肥:黄山书社,1997.

[7](宋)欧阳修.新五代史[M].北京:中华书局,1974.

[8](宋)司马光.资治通鉴[M].北京:中华书局,1956.

[9](元)脱脱,等.宋史[M].北京:中华书局,1985.

[10]钱基博,石声淮写录.金玉缘谱[M].1942.

[11]钱基博.无锡光复志[M].1913.

[12]钱基博.堠山钱氏丹桂堂家谱[M].1948.

[13]钱基厚.议婚集[M].1935.

[14]钱基厚.从政录[M].1917.

[15]钱基厚.孙庵老人自订五十以前年谱[M].1943.

[16]钱基厚.孙庵私乘[M].1952.

[17]钱文选.钱氏家乘[M].1925.

[18]徐世昌.清儒学案[M].沈芝盈,梁运华,点校.北京:中华书局,2013.

[19]徐梓,王雪梅.蒙学要义[M].太原:山西教育出版社,1991.

[20]赵尔巽,等.清史稿[M].北京:中华书局,1977.

著作类

[1]傅宏星.钱基博年谱[M].武汉:华中师范大学出版社,2007.

[2]纪念钱基博先生诞生百周年专辑[J].华中师范大学学报:哲学社会科学版.1987.

[3]蒋伟坚.书香无锡[M].上海:上海锦绣文章出版社,2012.

[4]孔春辉.师范弦歌——从蓝田到岳麓[M].长沙:湖南师范大学出版社,2008.

[5]孔庆茂.丹桂堂前——钱锺书家族文化史[M].武汉:长江文艺出版社,2000.

[6]李洪岩.智者的心路历程——钱锺书生平与学术[M].石家庄:河北教育出版社,1997.

[7]刘桂秋.无锡时期的钱基博与钱锺书[M].上海:上海社会科学院出版社,2004.

[8]钱基博著，傅宏星编．大家国学：钱基博卷[M]．天津：天津人民出版社，2008．

[9]钱基博．钱基博自述[M]．合肥：安徽文艺出版社，2013．

[10]钱基博．经史子集入门：钱基博谈治国学[M]．合肥：黄山书社，2009．

[11]钱穆．八十忆双亲　师友杂忆[M]．北京：生活·读书·新知三联书店，2005．

[12]钱穆．国学概论[M]．上海：商务印书馆，1997．

[13]钱文选．士青全集[M]．上海：商务印书馆，1939．

[14]钱之俊．钱锺书生平十二讲[M]．上海：上海社会科学院出版社，2013．

[15]钱锺韩．钱锺韩教授文集[M]．南京：东南大学出版社，1994．

[16]钱锺鲁．无锡钱绳武堂沧桑史[M]．自印本．

[17]钱锺书．槐聚诗存[M]．北京：生活·读书·新知三联书店，1995．

[18]钱锺书．石语[M]．北京：中国社会科学出版社，1996．

[19]钱锺书．谈艺录[M]．北京：中华书局，1984．

[20]邱巍．吴兴钱家：近代学术文化家族的断裂与传承[M]．杭州：浙江大学出版社，2009．

[21]汤晏．一代才子钱锺书[M]．上海：上海人民出版社，2005．

[22]王玉德．钱基博学术研究[M]．武汉：华中师范大学出版社，2008．

[23]吴学昭．听杨绛谈往事[M]．北京：生活·读书·新知三联书店，2008．

[24]伍大希．七十年家与国——伍大希演讲实录[M]．长沙：湖南文艺出版社，2001．

[25]杨绛．将饮茶[M]．北京：生活·读书·新知三联书店，2010．

[26]杨绛.我们仨[M].北京:生活·读书·新知三联书店,2003.

[27]杨绛.杨绛文集[M].北京:人民文学出版社,2004.

[28]杨绛.杂忆与杂写[M].北京:生活·读书·新知三联书店,1999.

论文类

[1]×厂.钱基博嫁女媵书[J].海风,1946(15): 9.

[2]傅宏星.嫁女择佳婿——读《议婚集》与《金玉缘谱》随想[J].中国图书评论,2012(5).

[3]胡国华,杨远虎.钱氏三兄弟的心愿[J].瞭望周刊,1987(15).

[4]孔春辉.开诚宏道 立教育人——钱基博先生在国师的学与行[J].湖南师范大学社会科学学报,2008(1).

[5]李赋宁.《王佐良文集》序[J].外国文学,1996(1).

[6]李伟.耿介刚直一老人——记钱孙卿[J].民国春秋,1994(2).

[7]刘桂秋.八十多年前的“教改实验”——钱基博在丽则女校的作文教学及其启示[J].无锡教育学院学报,2003(4).

[8]罗琴琴.钱基博国文教育初探[D].上海:华东师范大学,2012.

[9]彭桂芳.钱基博的教育思想与实践研究[D].武汉:华中师范大学,2011.

[10]钱基博.改订中国文学系课程[J].光华大学年刊,1933.

[11]钱基博.江苏省立第三师范学校国文科教授进程之说明书[J].无锡县教育会年刊,1922.

[12]钱基博.钱基博自传[J].江苏研究,1935(8).

[13]钱基博.吴江丽则女子中学国文教授宣言书[J].妇女杂志,1915(11).

[14]钱基博.修正师范学院国文系必修选修学程草案意见[J].国立师范学院季刊,1939(2).

[15]钱基博.谕儿锺书札两通[J].光华大学半月刊,1932(4).

[16]钱基博.自我检讨书(1952)[J].天涯,2003(1).

[17]钱锺汉.《无锡光复志》拾遗[J].无锡文史资料(第3辑),1981.

[18]钱锺书.林纾的翻译[A].文学研究集刊(第1册)[C].人民文学出版社,1964.

[19]饶馀威.清华的回忆[J].清华大学第五级毕业五十周年纪念册,1984.

[20]任成琦.钱永健：我只是继承了家族血统[J].北方人(悦读),2009(6).

[21]私立武昌华中大学同学总会华中通讯编辑委员会主编.钱基博教授本年授课计划:开“史记”,“四子书”,“韩文杜诗”三课[N].华中通讯,1947,复2(1)：3.

[22]孙伯亮.钱子泉客串数学先生[J].无锡文史资料(第30辑),1995.

[23]汪春劼.雄踞地方三十年——浅析民国时期无锡绅界领袖钱孙卿[J].江南大学学报(人文社会科学版),2010(5).

[24]吴忠匡.记钱锺书先生[J].随笔,1988(4).

[25]徐新.20世纪无锡地区望族的权力实践[D].上海：上海大学,2005.

[26]许振德.忆钱锺书兄[J].清华校友通讯,新3、4期合刊,1963.

[27]姚方勉.三年东林小学生活[J].无锡文史资料(第22辑),1990.

[28]逸公.钱钟韩——善于扬长避短的人[J].现代技能开发,1995(4).

[29]张一飞.我所认识的钱孙老[J].无锡文史资料(第22辑),1990.

[30]赵利栋.新政、教育与地方社会的变迁——以1904年无锡毁学案为

中心[J].中国社会科学院近代史研究所青年学术论坛2005年卷,2005.

[31]周洪宙.肝胆相照两昆仑——钱基博与钱钟书[J].武汉文史资料,2003(3).

[32]邹文海.忆钱锺书[J].传记文学,1962(1).

报纸类

[1]黄娜.钱镠后人收集文史资料光大《钱氏家训》[N].钱江晚报,2014-05-18.

[2]李承春.钱氏家族与《钱氏家训》[N].中国文化报,2012-05-03.

[3]钱基博.顾公述之先生哀辞[N].江苏民报,1948-08-01.

[4]钱基博.师范学校读经科教授进程说明书[N].无锡新报·思潮月刊,1923-01-16, 1923-05-16.

[5]钱基博.题画谕先儿[N].南通报,1920-12-12.

[6]钱穆.与子泉宗长书[N].无锡新报·思潮月刊,1922-09-16.

[7]钱锺书.先妣毛夫人行略[N].南通报·文艺,1929-05-02.

[8]杨慧.杨迷谈杨绛——旷世才女[N].深圳晚报,2008-12-08.

其他类

[1]齐彬.温家宝会见两岸共同市场基金会最高顾问钱复[EB/OL].中国新闻网,2009-04-18.

[2]钱汉东.临安首次公祭吴越王钱镠　钱文忠领读"钱氏家训"[EB/OL].中国新闻网,2012-04-25.

[3]钱锺鲁.勤奋好学的大哥钱锺书[EB/OL].豆瓣小组,2005-12-09.

[4]饮水思源 万分感谢(钱氏家族)[EB/OL].江苏省梅村高级中学网站,2010-11-15.